JN122178

これからの高齢者介護施設における

〝看取り〟のケア

人生の最期をこころ満ちて
平穏に美しく逝くとは

川西 秀徳

AiR
あいり出版

　始める前に、本書で使用されている看取りに関する言葉の説明を簡単にしておこう。後程、第2章、第4章を参照するとよい。

　緩和ケアは、包括的看取りのケアを含んだ、全ての病の期間のケアをさす。それは、広く解釈していて、病気になった時点、したがって病院の入院時、施設の入居時からであっても、広義には、いつも肉体的、精神的、社会的苦痛をできるだけ緩和、除去することを意味する。一般的にケアの最も大切な基本のひとつである。しかし、緩和ケア期は、自立ADL保持安定期と解釈している。一方緩和期は、一応国際的には死亡前6ケ月とされている。この緩和期が、進展して終末期となり、その期間を初期、中期、後期に分けてケアをする場合が多い。そして、最後の臨終期（死亡前数日）となる。したがって、これらの時期のケアが、緩和期ケア、終末期ケア、臨終期ケアである。

　くわえて、ターミナルケアは、この終末期と臨終期のケアを指すことが一般的である。本書でよく使用されている緩和・終末（期）ケアは、緩和期と終末期のケアをさし、同じく、終末・臨終（期）ケアは、双方の時期のケアを意味する。しかし、終末期ケアは、臨終期ケアも含められている場合も多い。緩和・終末・臨終期ケアは普通、死の前6ケ月の全期間の看取りケアと理解される

シカゴのノースウェスタン大学医学部附属メディカルセンターとジョン・ハンコック・センタービル（一番後ろの2本のアンテナ角を持った100階建て複合施設で、シカゴの1つのランドマーク）の一部（1970頃に筆者撮影）。

■序　文■

　私たちの国は、これからますます超高齢社会となり、総人口の減少とともに、老いて亡くなる人々が増加していく。したがって、高齢者介護施設、とくに介護老人福祉施設での高齢入居者の看取りは、高齢者が死亡する際の一つの選択の場所として、重要な役割を占める。この看取りは、施設ケアにとってもっとも大切なものの一つである。

　著者の緩和・終末期（看取り）ケアについては、米国から始まる。1968年シカゴのNorthwestern大学付属メディカルセンターの内科ストレイト・インターンシップ後、1995年に帰国するまでの間、附属病院内科レジデンシィ、消化器内科臨床フェローシップを終了。各大学医学部のフルタイム教職スタッフとして付属病院で内科消化器系専門医としての診療、教育、研究に従事した。一方ではシニア医学生、内科系レジデント、消化器内科臨床フェローの指導医として、いろいろな重症患者、特に1982年頃から1990年頃までは、多くのエイズ（AIDS）患者の緩和・終末期ケアを経験した。

　その後、日本での緩和・終末期ケアについては1995年千葉県鴨川にある亀田総合病院に研修医教育責任者、総合内科部長として米国式の卒後レジデント臨床研修システムを導入。その実践を始めた。当時、全国から集まった一握りの優秀な前期レジデント集団があった。後に、多くは渡米して、米国での内科各専門分野研修プログラムを終了。ほとんどは帰国して、大学附属病院、有名な総合病院で後輩の育成と質の高い臨床をしている。当時の総合診療内科の患者層は高齢者が多く、老年科領域のケアが主であった。そのために、どうしても医師としての看取りケアの重要性を認

1970年頃のシカゴにある巨大なノースウェスタン大学医学部附属メディカルセンターの一部。著者にとっては、1968年に初めて米国での内科インターンとして厳しい病院住み込みの臨床研修を始めた思い出の懐かしいメディカルセンターである。ここでの厳しい臨床教育が、私に徹底的にプロフェッショナルとしての手ほどきをしてくれた。今も、感謝に耐えない。また、ここで米国の死に逝く病む人々と接し、彼らの死生観とか、大学病院の医師、看護師やコ・メディカルたちと看取りの方法を体験した最初の場所でもあった（筆者撮影）。

識せざるを得なかった。

　まだ日本ではあまり語られなかったが、一般内科病棟で亡くなった全ての方々から可能なかぎり終末期事前意思確認同意書を取り始めた。米国では、この治療・ケア選択同意書は全ての大学附属病院に入院する者には、求められる手順であった。驚くことに、この国ではそれを真剣に考えて意思を表す方は、非常に少なくて、当惑するか、家族に一任することが多かったことを記憶する。

　2000年に入ってから2014年までの間、病院の院長職、副院長職を歴任しつつ臨床研修の責任者として、これからのこの国の若い医師の育成、また病院のケアの質の向上をめざした。

　さて、'看取りのこころとケア'のあり方は、すべての急性、慢性疾患のケアの基本となり、高齢者介護施設、自宅での看取りと共通したものがあった。そして、すべての多職種のケアのあり方の基本姿勢と考えられようになった。

　2000年から6年ぐらいは、主に故日野原重明先生（故聖路加国際病院理事長）が神奈川県秦野市の近くに開設されていたピースハウス（Pease House）で、毎年一回海外の緩和ケアスペシャリストを招待しての2日間のセミナーに出席した。これら招待された方々のセミナー講演と討論、日野原先生との対話、その他全国の緩和ケアに携わる多職種の方々との話し合い、くわえて、ピースハウス・ホスピスの多職種チームケアの実際を直接観る機

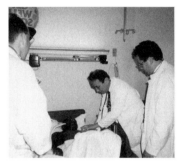

米国ニュージャージー州立ロバート・ウッド・ジョンソン医学校大学附属病院で、同大学内科教授・指導医として、病棟の医療チームの研修レジデント・医学生スタッフたちと回診時のベッドサイドシーン（1990年頃）。プロフェッショナル指導医たるもののあり方と臨床能力が問われる（筆者提供）。

米国テキサス州ヒューストンにある世界的に最も最先端として知られているMDアンダーソンがんセンター臨床部門の正面玄関のあるビル群の一部（2009年）。筆者は、この総合緩和ケア部門に短期留学して、その包括的ターミナルケアのあり方、緩和ケア専門指導医のあり方、臨床能力、優秀な多職種スタッフとの連携、多くのカンファレンスの高いレベル、さらに急性緩和ケアの処置を学んだ。その後の私の目指す緩和ケアのあり方を方向づけてくれた最も影響力があった場所として、いまも忘れることができない（筆者撮影）。

会を持った。しかし、当時の米国、ヨーロッパ、オーストラリアの緩和ケアに携わるエクスパートたちは、自国の認定資格をもち、そのプロフェッショナルとしての保証と質の高いレベルをもっていた。エビデンスに基づく基礎的、臨床的理論と考え方、そして豊富な経験、薬剤の種類とそれらの使用法などで、この国は相当遅れていた。

2008年、回生堂第二病院病院長就任後、15 ～ 20床の緩和ケア病棟開設の計画・準備をした。この間、病院入院中の難治のがん・非がん患者の終末ケアを主に担当した。東京にある聖路加国際病院の故日野原重明先生にお願いして、東京都小金井の聖ヨハネホスピス、ならびに大阪の淀川キリスト教病院緩和ケア・ホスピス科でそれぞれ、一週間の視察研修経験をした。著者は、これでは充分でないことがわかり、先進国の緩和・終末期ケアの研修・視察を決意して、米国Texas州のHoustonにある世界最大の総合がん臨床・研

MDアンダーソンがんセンター、包括的緩和ケアサービシス・緩和医療ケア部門の全サービシスChairman（主任責任者）Dr. Eduardo Bruera（Professor, University of Texas Medical School）による週一回の全員メディカルスタッフの臨床症例検討カンファレンスの1シーン。筆者も、米国時代に同じようなカンファレンスでリーダーシップをとった経験もあり、彼のカンファレンスは、素晴らしいものであった。中央が、Dr.Brueraである。彼の各症例毎のコメントに、全ての医師スタッフは、熱心に傾聴しているのがよくわかる。筆者自身も学びの嬉しさ、楽しさを再確認し、ますますプロとしてこれからも成長していくことに強い勇気を与えてくれた（2009年、筆者撮影）。

究施設MD Anderson がんセンターの複合ケアサポーティブサービスシス・緩和ケア科への短期留学を選んだ。このサービスシスは、包括的緩和ケアを提供する、世界でも一番大きくまた最先端のがん治療にたいする緩和ケアとその教育が充実していた。その総責任者（Services Chief）は、Dr. Eduardo Bruereで、緩和ケア科のChiefとProfessor, University of Texas Medical Schoolでもある。彼は、緩和ケア領域の臨床研究で多くの貢献をされてきた世界的に有名なアカデミックな臨床医であり、教育者である。

著者が、この研修プログラムに参加したのは、蒸し暑い長い夏のHoustonであった。住み込みのような毎日の生活の中で、主に米国国内外からのClinical Fellows（すべて、内科レジデント修了者）たちと共に外来、院内コンサルテーショ

ン、急性緩和ケアユニット（Acute Palliative Care Unit）サービースでの研修と一部隣接のこれもHoustonで一番大きく、ケアが充実している著名なHouston Hospiceのローテーション研修、そして全ての臨床カンファレンス（毎日2〜3回）、研究カンファレンス（毎週一回）と、Clinical Fellowsのための短期教育研修プログラム（毎週1回）を終了した。

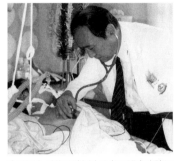

米国から千葉県鴨川市の亀田総合病院に主任内科部長（総合内科診療）として帰国して、2年目（1996年）で、多くの優秀な日本各地からの初期研修生とともに、日夜、米国式ベッドサイド臨床教育に没頭して包括的総合内科診療をしていた頃の一シーン（筆者提供）。

　週末の休日も惜しんで、一日12時間は仕事をこなした。でも、少しも疲れることなく、懸命に彼らの緩和・終末期ケア、特に薬剤の使用処方、急性・慢性緩和ケアのあり方と治療法、包括的非薬物療法を学び経験した。さらに、上記のDr. Bruereとの個別面談は、一生忘れることのできないインパクトのある思い出となった。このMD Andersonがんセンター・Houston Hospiceの経験は、著者にその後の緩和・終末期ケアのあり方の考えを変えた。

　当時、著者が企画していた‘病院緩和ケア病棟構想’も、それほど重要なものでもなくなり、大切なのはどこでも、だれにでも、いつでも、どんな状態でも、その場で、医師たるものは、少なくとも標準的緩和・終末期ケアができなければならない、と言うことであった。そして、真剣に　General Palliative Care Physician（総合緩和ケア医）の重要性を考えるようになった。

　ちなみに、著者の働いていた上記の病院経営陣も、緩和ケア病棟開設よりも医療療養型ベッドへの増床の方が収益性のあることから、この計画は実らなかった。しかし、このMD AndersonがんセンターとHouston Hospice　での緩和・終末期ケア研修経験で著者のその後の緩和・終末期ケアの進め方、あり方、その方向性が決まったことは、いまも幸いと思っている。

　そして、2015年、現在の高齢者介護施設での緩和・終末期ケアに介入するようになり、この施設での看取りのあり方、またその将来の方向性にますます興味を持つようになった。そこで著者は、施設高齢者の最期の逝き方を、私たち施設ケアを提供するスタッフによる最も大切なプロフェッショナルとして、

どのように考え、満足すべき質の高い他の医療機関でできない、'誇りを覚える看取り'に願いをこめて本書の執筆を始めた。

　ところが 2020（令和2）年の春、この執筆がほぼ終わる頃、この国も新型コロナウィルス感染症（COVID-19）の世界的パンデミックに襲われ、とくにリスクの高い高齢者介護施設入居者の感染防御対策が最優先となった。この指定感染症2類に属する伝染性感染症の拡大により一時、施設はロックダウンされ施設内介護ケアも大きく変容せざるをえなかった。現在も、相当厳格に施設内感染対策は、維持され管理されている。したがって、施設での緩和・終末期ケアにも、少なからず影響を与えているので、新しくこのトピックの章（13章）を追加することにした。

　この本は、高齢者介護施設に働く皆様のために書かれてあるが、その他の方々にも'施設での看取り'のことを知って欲しい。また、在宅での高齢者の'看取り'にも相通ずるところも多く、在宅ケアに携わる全ての方々にも読んでいただき、'高齢者の看取りのあり方'をもう一度考えるチャンスとなって欲しい。そのため、できるだけ多くの図・表を取り入れて、なるべく実践的に記載した。高齢者介護施設の看取りの理解を深めると共に、毎日のケアに直接／間接、役立てていただくことをこころより願ってやまない。本書の活用法について述べると、それぞれの大切なトピックについてできるだけわかりやすく、また一部重複して書いてあるので、最初から順番に読んでいく必要はない。毎日のケアの中で、問題となったトピックを開けて数分で一読するのもよい。願わくは、施設緩和・終末ケアのミニハンド・ブックとして利用していただければ、幸いである。

　最後に、ぜひ、この本に書かれてあることを理解していただき、ケア提供者は施設高齢者との定めなき悲しい永遠の別れ、一期一会のなかで、ケアをやりきって思い残すことがないまで取り組んで欲しい。きっと亡くなって逝く施設入居者の方々から、またご家族から感謝されることであろう。そして、それ以上に、ケア提供者各々にプロフェッショナルとしての誇り、ケアを提供する真の喜びと生きがい、さらに幸せをもたらすことであろう。

令和3年2月上旬

川西　秀徳

6. 入居者、職員スタッフのコロナ禍による精神的・心理的・身体的ストレスの影響と対応

7. 施設内新型コロナウィルス感染症、またはその疑いで亡くなった遺体のエンジェルケアと施設からの搬送

8. 要約

第1章

日本の超高齢者社会の
多死化と介護施設の現状

1. 増加する多死化の統計的現実

　団塊の世代がすべて高齢者となる2025年には、超高齢少子化時代における
さまざまな問題が出てくることが予想されている。日本の総人口は、長期の減
少過程に入っており、2060年には9284万人になると推計される。総人口が減
少する中で、高齢者が増加することにより、高齢化率は上昇を続ける。2020
年現在65歳以上の高齢者人口は3558万人で高齢者率は28.1％であるが、2025
年には3677万人で高齢者率30.0％に達し、2040年には3920万人で高齢者率
35.3％、2065年には、3381万人と減少するも高齢者率38.4％とピークを迎える
まで増加を続け、その後も高齢者人口は減少に向かうが、その率は増加を続け
ると推定されている[1]（図1-1参照）。

　一方、平成28年度厚生労働白書（'人口高齢化を乗り越える社会モデルを考え
る'）[2] の死亡数及び死亡率の推移と将来推計（図1-2）によると、日本は1979
年が最低の死亡率で6.0％、それ以後2003年には101万人が死亡し、2015年に
は10.3％で129万人が死亡している。そして、将来推計によると、2035年には
14.8％となり、2039年には死亡者数ピークは167万人、それ以後順次、死亡者
数は低下に向かうが、死亡率は上昇し、2060年には17.7％の死亡率に至ると
推定されている。2010年を起点に、2030年までに約40万人の死亡者数が増加
すると見込まれ、看取り先の確保が今のところ問題となっている。

　次に、2015年の国立社会保障人口問題研究所、人口統計資料集[3] による死
に場所別死亡者数年次将来推計によれば、2014年死亡者数は、127万3千人、
そのうち65歳以上が112万1千人、その死亡率は88.1％で勿論大部分を占めて
いる。さらに2035年時点の推定によれば、医療機関の病棟数は特に増減はな
く（約98万人）、介護施設では、現在の約2倍必要であり、約20万人の死亡、
自宅死亡は1.5倍に増加し、約25万人、その他の場所は約23万人の死亡が推

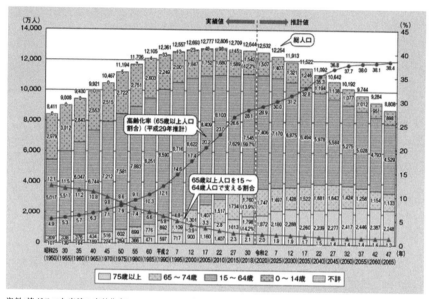

資料：棒グラフと実線の高齢化率については、2015年までは総務省「国勢調査」、2018年は総務省「人口推計」（平成30年10月1日確定値）、2020年以降は国立社会保障・人口問題研究所「日本の将来推計人口（平成29年推計）」の出生中位仮定による推計結果。
(注1) 2018年以降の年齢階級別人口は、総務省統計局「平成27年国勢調査　年齢・国籍不詳をあん分した人口（参考表）」による年齢不詳をあん分した人口に基づいて算出されていることから、年齢不詳は存在しない。なお、1950年〜2015年の高齢化率の算出には分母から年齢不詳を除いている。
(注2) 年齢別の結果からは、沖縄県の昭和25年70歳以上の外国人136人（男55人、女81人）及び昭和30年70歳以上23,328人（男8,090人、女15,238人）を除いている。
(注3) 将来人口推計とは、基準時点までに得られた人口学的データに基づき、それまでの傾向、趨勢を将来に向けて投影するものである。基準時点以降の構造的な変化等により、推計以降に得られる実績や新たな将来推計との間には乖離が生じうるものであり、将来推計人口はこのような実績等を踏まえて定期的に見直すこととしている。

●図1-1　高齢化の推移と将来推計

定されている（図1-3参照）。

　2014年時点で病院死は8割弱を占めるが、この急性期病院の死者数は増加の見込みもなく、ほぼ2035年までは、数には変化がない。その割合は超高齢化率の増加により、むしろ軽減されていく。つまり、病院だけでは支えきれない。2035年までは介護施設、自宅、その他も増える推定である。現在（令和3年2月上旬）時点でも、この傾向は、ほぼ変わらない。

　この増え続ける人生の最終段階を迎える人を最期まで支えられる体制の構築がこれからの緊急課題である。一方、自宅や介護施設で最期を暮らすことを願う国民もゆるやかであるが、増えている。厚労省が行った在宅医療を支えるさ

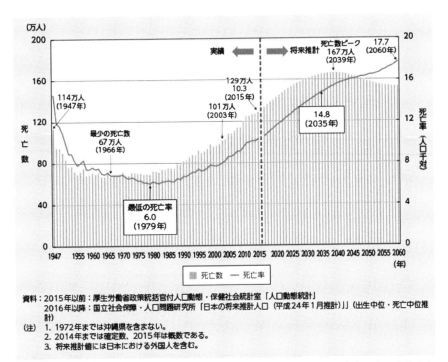

資料：2015年以前：厚生労働省政策統括官付人口動態・保健社会統計室「人口動態統計」
　　　2016年以降：国立社会保障・人口問題研究所「日本の将来推計人口（平成24年1月推計）」（出生中位・死亡中位推計）
（注）　1. 1972年までは沖縄県を含まない。
　　　　2. 2014年までは確定数、2015年は概数である。
　　　　3. 将来推計値には日本における外国人を含む。

●図1-2　死亡数及び死亡率の推移と将来推計（平成28年版厚生労働白書―人口高齢化を乗り越える社会モデルを考える―）

まざまな施策の結果、看取りまで対応する在宅支援診療所、訪問看護ステーション、介護施設は増え、熱意を持つ専門職も増え、連携する職種間の病歴などの情報連携は進むようになってきている。しかし、在宅療養環境には地域差があり、患者・入居利用者家族の望む結果が必ずしも実現していない。

　最近の調査（図1-4参照）[4]によれば、高齢者が最期を迎えたい場所として、「病院などの医療施設」が27.7%であり、「自宅」は54.6%と半分以上を占め、「特別養護老人ホーム（介護老人福祉施設）などの福祉施設」は4.5%、「高齢者向けのケア付き住宅」は4.1%などと少ない。性別にみると、「自宅」は、女性の48.2%よりも男性の62.4%で、「病院などの医療施設」は、男性の23.0%よりも女性の31.6%で希望する割合が高くなっている。年齢別にみると、自宅が80齢以上で56.1%、70〜74齢で49.6%、60〜64齢で、55.3%とあまり差は認められなかった[4]。

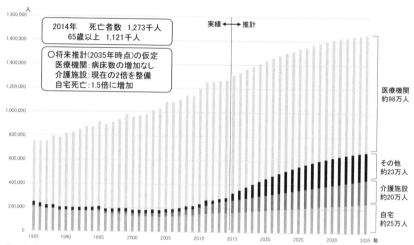

注：介護施設は老健，老人ホーム
（2014年（平成26年）までの実績は厚生労働省「人口動態統計」；
（2015年（平成27年）以降の推計は国立社会保障・人口問題研究所「人口統計資料集（2015年度版）」から推定）

●図1-3　死亡場所別、死亡者数の年次推移と将来推計

「万一、あなたが治る見込みがない病気になった場合、最期はどこで迎えたいですか。」

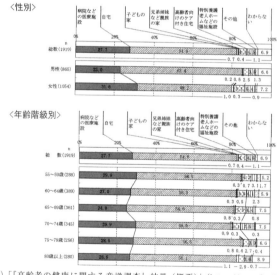

内閣府編（2018）「『高齢者の健康に関する意識調査』結果（概要）」（https://www8.cai.go.jp/kourei/ishiki/h24/sougou/gaiyo/pdf/kekka_1.pdf）

●図1-4　最期を迎えたい場所

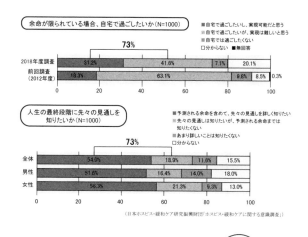

（日本ホスピス・緩和ケア研究振興財団 2018年：No.4911 2018.6.9 日本医事新報 p7）

●図1-5　高齢者の望む死に場所と余命告知

　一方、日本ホスピス・緩和ケア研究振興財団（2018年5月公表）の調査（図1-5）[5]によれば、「余命が限られている場合、自宅で過ごしたい」と回答した人は73%、その内「実現が難しい」が41.6%、「実現が可能」31.2%であったが、2012年度の前回調査（自宅で過ごしたい人81.4%；その内「実現が難しい」63.1%、「実現が可能」18.3%）と比較して、実現の可能性が大幅に増加している。在宅医療の体制整備が進んできているのは興味深い。「人生の最終段階に先々の見通しを知りたいか」に対し、「知りたい」73%、この内、「余命も知りたい」が、54%。その他（「余命までは知りたくない」、「あまり詳しいことは知りたくない」との回答）27.1%と約3割であった。余命告知については、個別の配慮が必要である。

　これからは、施設死が増え、病院死が減少傾向となり、高齢者向け住まい・施設の件数が、さらに増えることが予測される。たとえば、10年前の特別養護老人ホーム（介護老人福祉施設）における死亡者の死因（図1-6）が多彩で、同ホーム内で看取り介護の症例は、'老衰'が約5割、病院に搬送して1週間以内に死亡した症例は、肺炎が約3割となっている。しかし、施設死の場合の死

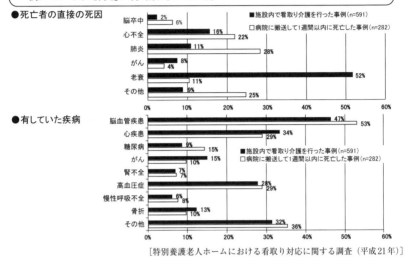

[特別養護老人ホームにおける看取り対応に関する調査（平成21年）]

●図1-6　特別養護老人ホームにおける死亡者の死因等

因は、死亡診断書に書き入れる厚生労働省医政局の記入マニュアル[6]にしたがって報告しない担当医も多く、特に老衰死の直接原因が問題となっており、必ずしも、この数字は正確とは言えない。また、病院に搬送する基準も一定でないので、ますます、施設ごとの統計の資料の判定は、難しくなる。たとえば、筆者が現在、管理医師として関与している居住者100人の比較的新しい全ユニット制の介護老人福祉施設（創立7年）では、平成29年度の施設死は、10人で、病院搬送死11人と約半々で占められ、施設死の死因は、老衰が3人（30%）であった。この傾向は、ここ2-3年、ほぼ変わりがない。ちなみに、2020年の「介護老人福祉施設における看取りのあり方に関する調査研究事業」[7]によれば、看取り時の状態、ケアの状況の分析で、死因は、老衰が77.5%、がんが5.8%、肺炎が5.2%、心疾患が4%、脳血管疾患が1.2%と、特に老衰死が多い。

　つぎに、最期の場所としての高齢者介護施設、特に介護老人福祉施設の役割が、さらに重要となるが、死にいく高齢者の希望場所と現実には相当の開きがある。2016年までの実績を、厚生労働省の「平成28年人口動態統計」、2017年

以降の推移は国立社会保障・人口問題研究所の「日本の将来統計人口（平成29年推計）」からの将来の看取りの場所を想定した資料[8]によると、2030年には、約30万人の場所が定まらないとの報告もあり、今後はこれらの最期の棲家_{すみか}の確保が重要課題の一つとなる。

2. 一般的医療・介護施設、とくに高齢者介護施設の現状

　日本の国民健康保険は、医療ならびに介護保険からなり、表1-1に示したように急性期総合病院、急性期病院、慢性医療療養型病院から、回復期リハビリテーション病院、地域包括ケア総合ケアクリニックならびに個々のかかりつけ医院、一方介護保険では公的ならびに非公的施設がある。介護老人保健施設、介護老人福祉施設（特別養護老人ホーム）は、公的施設であり介護保険で統括されている。その他、医療保険・介護保険の2保険でケアが提供される介護医療院、介護療養型医療施設（将来廃止の方向にある）と在宅ホームがある。一方、非公的施設は有料老人ホーム、サービス付き高齢者向け住宅、グループホーム

●表1-1　現在日本の病院・クリニック・老人ホーム・施設の位置づけ

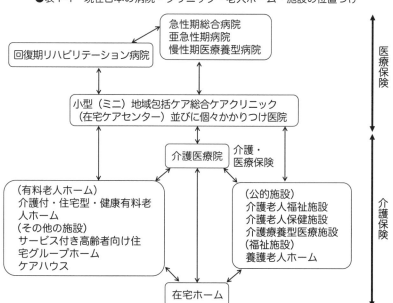

〔施設種類一覧（https://www.Japanslht.or/shisetsu-list/）（筆者改変）〕

●表1-2　老人ホーム（施設）の種類一覧（2018年3月時点）

老人ホームの種類・類型			ホームの数
民間運営	有料老人ホーム	介護付有料老人ホーム	4,171
		住宅型有料老人ホーム	5,623
		健康型有料老人ホーム	16
	その他の施設	サービス付高齢者向け住宅	6,668
		グループホーム	13,406
		ケアハウス	636
公的施設	介護保険施設	介護老人福祉施設	9,616
		介護老人保健施設	4,249
		介護療養型医療施設	1,391
	福祉施設	養護老人ホーム	953

（厚生労働省「介護事業所・生活関連情報検索」「平成27年度介護報酬改定に向けて」、（社）全国有料老人ホーム協会「有料老人ホーム・サービス付き高齢者向け住宅に関する実態調査研究」、サービス付き高齢者向け住宅情報提供サービス 2018年3月22日更新）

などである。

　老人ホーム・介護施設の種類一覧は、2018年3月時点では表1-2に示した種類と類型、そして数がある。主な介護保険施設としての介護老人保健施設4,249施設、介護老人福祉施設は9,616施設がある。種類別の割合では、介護老人保健施設（4,249件）は、全体の9％、介護老人福祉施設（9,616件）20.4％、グループホーム（13,409件）28.5％を占める。最大の数はグループホームとなっている。介護老人福祉施設は、有料老人ホームとほぼ近い割合を占めている。

　次に、施設ごとの要介護度ならびに認知症の受け入れ態勢、医療体制、予算などの概要を表1-3に示した。介護老人保健施設は、要介護1以上で、リハビリテーションプログラムを含めての医療体制が強化され、認知症の受け入れと、少数であるが看取りケアも提供している。しかし、入居期間が制限され、主に、自宅復帰への中間施設としての役割である。一方、介護老人福祉施設は、要介護3以上でありやや重症の多疾患をもつ高齢者、特に認知症をもつ割合が極度に多い。しかも、医療体制も相当制限され、看取りケアも多い。しかしながら、より予算が低いということで、一般には低費用で例外はあるとしても、ほとんど全ての高齢者要介護度3以上を収容するので、病棟占有率は常時ほぼ100％

●表1-3　老人ホーム・施設の入居条件

	要介護度	認知症の受入	医療体制	予算
介護付有料老人ホーム	自立〜重度	◎	◎	中〜高
住宅型有料老人ホーム	自立〜中度	○	○	中〜高
健康型有料老人ホーム	自立	×	×	高
サービス付き高齢者向け住宅	自立〜中度	○	○	低〜中
グループホーム	要支援2以上	◎	△	中〜高
ケアハウス（軽費老人ホーム）	自立〜重度	△	△	低〜中
介護老人福祉施設 (特別養護老人ホーム)	要介護3以上	○	○	低
介護老人保健施設	要介護1以上	○	◎	低〜中
介護療養型医療施設	要介護1以上	○	◎	低〜中
養護老人ホーム	自立〜中度	△	×	低〜中
シニア向け分譲マンション ケア付き高齢者住宅	自立	×	△	高

（厚生労働省「介護事業所・生活関連情報検索」「平成27年度介護報酬改定に向けて」、(社) 全国有料老人ホーム協会「有料老人ホーム・サービス付き高齢者向け住宅に関する実態調査研究」、サービス付き高齢者向け住宅情報提供サービス 2018年3月22日更新）

に近い。これらの高齢者介護施設では、ケアスタッフの不足が今深刻な問題となっている。その解消の重要な決め手の一つが、外国人の介護福祉士と介護助手の雇用である。急速に需要が高まっているなか、外国人介護職員の雇用制度も整備されてきた[9]。

　外国人による介護領域の技能実習研修制度が平成30年4月にスタートし、その研修卒業者、EPA（経済連携協定）に基づく外国人介護福祉士候補者、日本の介護福祉士養成校を卒業した在留資格「介護」を持つ外国人、また在留資格を持つ「特定技能1号」を持つ外国人などを介護領域で雇用可能となり、日本の国際貢献にも寄与するとして期待されている。

【引用文献】
1. 内閣府（編）2019「高齢化の現状と将来像：令和元年 (2019) 版高齢者社会白書（全体版）、第1章高齢化の状況（第1節1）」．（https://www.8.cao.go.jp/kourei/whitepaper/w-2019/html/zenbun/s1_1_1.html）
2. 厚生労働省（編）2016「厚生労働白書―人口高齢化を乗り越える社会モデルを考える―平成28年版」．（https://www.mhlw.go.jp/wp/hakusyo/kousei/16/dl/all.pdf）
3. 国立社会保障・人口問題研究所（編）2015「人口統計資料集（2015年度版）」．（https://www.ipss.go.jp/）

4. 内閣府（編）2017「高齢者の健康に関する意識調査・結果（概要）（平成29年度版）」.（https://www8.cao. go.jp/kourei/ishiki/h24/sougou/gaiyo/pdf/kekka_1.pdf）

5. 日本ホスピス・緩和ケア研究振興財団公表 2018「覚えておくと役立つ数字73％　PickUp医療データ（99回）」 日本医事新報　4911,6.9,p7,2018.

6. 厚生労働省医政局（編）2018『平成30年度版死亡診断書（死体検案書）記入マニュアル』(https://www. jpeds.or./modules./news2/index.php?content...)

7. 三菱UFJリサーチ＆コンサルティング（編）2020「介護老人福祉施設における看取りのあり方に関する調査 研究事業報告書（令和元年老人保健事業推進費等補助金、老人保健健康増進等事業）」.（https://www.murc.jp/ wp-content/.../kourei_200424_15.pdf）

8. 『30万人の「看取りの場所」を確保するために』. 2017（https://www.catalabo.org/...CatalogDownload.do?...）

9. 『外国人介護職員の雇用に関する介護事業者向けガイドブック』2019（平成31年3月）、三菱UFJリサーチ＆ コンサルティング株式会社発行.

第2章
高齢者介護施設における
緩和・終末期看取りケア

1. 施設緩和・終末期看取りケアの定義

　平成14年（2002年）のWHO'緩和ケアの定義'は、「生命を脅かす疾患に伴う問題に直面する患者と家族に対し、疼痛や身体的、精神的、心理的、社会的スピリチュアルな問題を、早期から正確にアセスメントし、解決することにより、苦痛の予防と軽減を図り、生活の質（QOL）を向上させるためのアプローチである」[1]。したがって、早期から治療と並行して、快適に生きるための緩和ケアの導入が必要となる。それぞれの'がん'を含めての難治病治療の目標は、治療予後の延長とQOL（生活の質）の向上ではあるが、緩和ケアの目標はQOLの向上によって予後に良い影響を与えることである。両者の目的は一致しており、互いに補い合い、施設では包括的がん、非がん居住者の介護・医療緩和・終末期看取りケアモデルを構築することが必要である。

　さらに、'高齢者の終末期の定義'（日本老年医学会）は、「症状が不可逆的かつ進行性であり、その時代に可能な最善の治療により病状の好転や進行の阻止が期待できない、そして近い将来死が不可避となった状態を言う」[2]。ここで言う終末期ケアは、一般的には緩和ケア期の最期の2〜4週間であり、臨終期は死亡前数日以内である。

　「施設における看取り介護」の定義の考え方［全国老施協の「看取り介護実践フォーラム（平成25年度）」][3]は、「近い将来、死が避けられないとされた人に対し、身体的苦痛や、精神的苦痛を緩和、軽減するとともに、人生の最期まで尊厳ある生活を支援すること」と指針を定め、'施設介護の看取り体制'の強化の取り組みを推進している。入居者と家族への十分な説明と情報の共有、看取り後のグリーフケアを含めた支援の充実、そして一層の信頼関係の構築ならびに意思確認の重要性を説いている。

　これが、施設における緩和・終末期ケアの原則であるが、そのためには、(1)

すべての視点に立つ全人的ケア（All Person Care Approach）～尊厳死、自然死、平穏死をゴールとする、（2）すべての苦痛を緩和し、可能な限りQOLの向上を目指すマネジメントを根底にする、（3）いつも入居者本人と家族との思いやり、共感、労りのコミュニケーション、態度、そして行動をして、人間としての尊厳性を基盤とする、（4）入居者本人の自立（自律）とケアの選択の支援をする。さらに、（5）入居者本人と家族、その他の介護者への満足、幸せ、感謝を得るベストケアが行われなければならない。

　一方、米国がん協会（ACS；American Cancer Society）の「終末期ケア（End of Life）として普及している原則」を紹介する[4, 5]。「（1）QOL（Quality of Life；生命・生活の質）を損なう身体的感情的な症状の管理、（2）尊厳とプライドのための機能と自己決定の支援、（3）一貫したケアができるように事前に計画を立てる、（4）死が間近なら、積極的医療はしない、（5）入居者と家族が、どれだけ満足したか評価する、（6）全体的なQOLを良好に保てるようにケアをする、（7）家族にかかる精神的金銭的負担を考える、（8）支援不足なら安易に死を選ばないよう対応する、（9）ケア提供者の継続性と技術があり、（10）死別したものへのケアをする」が、よい参考になる。

2. 看取りの基本姿勢～尊厳、コンパッションと希望の維持 [3]

　看取りケアは、人間の尊厳の維持とその個人の人格を心から尊重、敬愛し、安らかに苦痛なく心満ちて最期を迎えることができるように、家族と介護施設ケアスタッフが共に切に願うことから始まる。

　私たち介護・医療従事者は、心と体の病気を持つ施設入居者の自助努力にプラスの影響を与えることが肝心である。共感的、効果的なコミュニケーションを通して、彼らを傍で支える者として受容し、コンパッション（思いやり、共感、優しさ、温かい関心など）、励まし、忠告と、指導に意味を持たせ、入居者一人ひとりの残存能力を最大限引き出すことである。そして、希望が重要となる。

　ケアをする者はとりあえず、まず個別的に対象入居者の目標を設定し、試行錯誤を繰り返しながら、その中で見失っていた彼等自身のしたいことや、生き方を見つけていくことを励まし、助言を与え、心の成長を温かく見守ってサポートしていく姿勢が必要となる。ケアにおける臨時的姿勢として、入居者の意思

を尊重する、その人らしく（望みの尊重）、入居者のQOLを高くする（生きる質向上）、苦痛を少なくする（苦痛緩和／除去）、気持ちを理解する、傾聴、共感、協働する、家族にも理解してもらう（説明責任）、そして、どの入居者にも公平に接する（差別なし）が、まずは守らなければならない。臨床倫理学の三つの原則[6]を少し改変して、人間尊重（尊厳）、無害、期待と希望、社会的正義、これらの原則を満たさなければならない。

　したがって、終末期での施設のケアは、最後まで入居者の方々がその人らしく生き、そしてもし自分の人生を振り返ることができたとき、後悔するのではなく、'少なくてもよいから生きてきて最期は良かった'と感じてもらえることができれば素晴らしい。

3. 緩和・終末期ケアの現状と施設のあるべき姿

　現在の緩和ケアは、症状緩和がまだ充分でないということであるが、日本も各国の後を追うような状態でこの数年の間に著明に改善されてきた。特に、2007年'がん対策基本法、2009（平成18年4月1日）'の制定後の事である。その後、がん対策基本改正法は第3期が2017年策定され、2018年（平成30年）3月9日、閣議決定されている[7]。医療麻薬の使用量は、日本では相変わらず少ない。安心してがんの治療を受けられ、苦しみなく過ごせると考えている人が、ここ数年前までは、まだ半数にも満たないと言われていた。しかしその後、麻薬と疼痛管理について、一般住民の啓蒙活動、一般開業医の麻薬処方の実践的学習システムを通して、積極的に社会に浸透してきたこと、そしてやっと欧米で使用されているいろいろの種類の麻薬メサドン（メサペイン）、タベンタドール（タペンタ）、ヒドロモルフォン（ナルラピド、ナルサス、ナルペイン）なども導入され、薬剤疼痛管理がより効果的になった。副作用も軽減され、その使用法もより改善され、私たちに身近になってきた。今では、一般市民も麻薬薬剤で疼痛が効果よく軽減されることを理解し、それを望む傾向にある。一方、希望する療養場所は、時代とともに、また緩和・終末期ケアのステージによって変化する。依然、約半数の高齢者は、自宅で最後を願っているが、約70％は医療機関での死亡が多い[8]。

　では、施設緩和ケアの求められる姿とは、どのようなものであろうか。その

ポイントは、まずそのケアが'がん'であろうがなかろうが、不治の病の時期や治療場所を問わず提供され、苦痛（つらさ）に焦点があてられるべきである。何を大切にしたいのか、入居者・家族によって異なっている。いつでもどこでも切れ目のない質の高い終末期ケアを提供し、しかもそれらが受けいれられることが大切なのは当然である。すべての難治性の病める入居者が、尊厳を保持しながら、安心して暮らすことのできる地域コミュニティの施設環境整備が求められる。

　ホスピスの精神の条件は、近代の緩和ケア創始者であるシシリー・サンダース（1983年）の次の'ホスピタルマインド'で理解できる[9]。「あなたはあなたのままで大切なのです。あなたは人生最後の瞬間まで大切な人です。ですから私たちはあなたが心から安らかに死を迎えるだけでなく、最後まで精一杯生きられるように最善を尽くします」

　したがって、施設はホスピス化しなければならない。人が生きることを尊重し、誰にも例外なく訪れる死への過程に敬意を払う。死を早めることも死を遅らせることもしない。痛みやその他の不快な身体症状を緩和する。さらに、精神的、社会的な援助を行い、入居者に死が訪れるまで生きていることに意味を見出せるようなケア（スピリチュアルケア）をする。家族は、困難を抱えて、それに対峙しようとするとき、入居者の療養中から死別したのちまで、彼らを支えるグリーフケアも必要である。

　緩和ケアチーム機能のある、またはないにかかわらず病院緩和ケア病棟（現在はがん・エイズ限定）、医療療養型病院、介護医療院、在宅関連施設（在宅介護施設〜介護老人福祉施設、介護老人保健施設など）、在宅療養支援診療所、訪問看護ステーション、デイケアサービス、デイサービス、デイホスピス・サービス、がん・認知症カフェ、さらに特定高齢者施設（有料介護付き老人ホーム、ケアハウス、グループハウスなど）、そして自宅、これら全て、緩和・終末期ケアの場である。格差なく十分にいつでもどこでも、満足可能な緩和ケアならびに終末期ケアが提供されなければならない。

　私たちの老いの最も望ましい死に方は'老衰'、すなわち自然死であろう。老衰の進行につれて可動性日常生活機能はだんだんと衰弱、廃用期から終末期へ少しずつ低下していく。また高度の低下期ステージから臨終期ステージとな

り、そして死亡後ステージの経過をとっていく。しかし、同一高齢者に、しばしば臓器不全、まれに悪性腫瘍も合併して、オーバーラップ機能低下パターンを経験する。高齢者介護施設入居者も例にもれない。このトピックスについては、後の章で述べる。

　高齢者介護施設、たとえば介護老人福祉施設の居住者の入居時から終末期にかけての経過は、入居時からすでに多疾患、多薬をもつ原則として65歳以上の要介護3から5のフレイル、サルコペニア状態であり、それに認知症また加齢関連多疾患（生活習慣病、老年性症候群など）、くわえて多薬を特徴として、施設で生活していく。そして、加齢とともに終末期に段々と近づいていく。それは入居時の施設適応からだんだんと経時的に死を受容して死んでいく準備のパスプロセスでもあると考えられる。これらのケアは、その'人らしさ'を最期まで持てるように支持して'思いやり'と'共感'をもって、'優しく'、'人間らしさ'を支える介護が必要であり、大切にされていることの感覚は持てるようにしなければならない。穏やかな暖かい、笑顔のある施設で思いやりと優しさの介護ケアの提供と保障が求められる。起こりえるあらゆる苦痛を予想して、それに対処することが非常に大切である。生命を維持するケアとなる呼吸、循環、体温、血圧、脈の管理、食事、排泄などの丁寧な介助と援助、そしてこの間必要な医療的介入も頻回に含まれる。

【引用文献】
1. 日本緩和医療学会（編）2000「WHO（世界保健機関）による緩和ケアの定義」定訳（https://www.jspm.ne.jp/proposal/proposal.html）& World Health Organization（2015）. Palliative Care. World Health Organization ホームページ.（http://www.who.int/cancer/palliative/definition/en/）
2. 日本老年医学会（編）提言・見解に関する講習会 2012（第58回日本老年医学会学術集会）飯島節「高齢者の終末期の医療およびケア」に関する日本老年医学会の立場表明.（https://www.jpn-geriat-soc.or.jp/proposal/lecture.html）
3. 全国老人福祉施設協議会（編）2015「看取り介護指針・説明支援ツール（平成27年度介護報酬改定対応版）～全国老施協　看取り介護実践フォーラム（平成25年度）より」.
4. Harper GM, Lyons WL, Potter JF（editor）「Geriatrics Review Syllabus（10th Edition）」American Geriatrics Society, 2019.
5. 『National Consensus Project for Quality Palliative Care; Clinical Practice Guidelines for Quality Palliative Care』4th edition, 2018, Richmond, Virginia; National Coalition for Hospice and Palliative Care.（https://www.nationalcoalitionhpc.org/ncp.）
6. 清水哲郎&臨床倫理プロジェクト（著）2016『臨床倫理エッセンシャルズ（改訂第5版v.1.5）』2016年度版』.

臨床倫理プロジェクト（発行）.

7. 厚生労働省（編）2018「がん対策推進基本計画（第3期）〈平成30年3月〉」.（https://www.mhlw.go.jp/stf/seisakunitsuite/bunya/0000183313.html）
8. 厚生労働省（編）2017「介護老人福祉施設（参考資料2），社保審—介護給付費分科会（第143回）平成29.7.19.」.（http://www.mhlw.go.jp/file/05-Shngikai.../0000171814.pdf）
9. ソンダース　シシリー（著），小森康永（和訳）2017『ナースのためのシシリー・ソンダース：ターミナルケア　死にゆく人に寄り添うということ』　北大路書房.

【参考文献】

1. 藤本浄彦：安らかな旅立ちを—「看病用心鈔」の教え—［良忠上人（著）『看病用心鈔』の概要「序」看病御用心］（聞きて：峯山武男）.（https://www.h-kishi.sakura.ne.jp/kokoro-267.htm）

Column　高齢者介護施設でのケアの本質

　私たち介護・医療に携わる者の'ケア'，すなわち高齢者介護ケアの必要な要素は'思いやり'と'信頼'であろう。これが安らぎの源でもあると思う。施設で長い時間をかけて築かれたこの'思いやりのある信頼関係'だけが、死に行く本人が幸せに満足感をもって旅立つことを可能にすると信じたい。

Column　施設入居者の最期の基本的介護

　私たち人間の尊厳の維持とその個人の人格を心から尊重し、敬愛し、安らかに苦痛なく心満ちて施設で最期を迎えることができるように、ご家族と施設スタッフは共に悔いのないように、看取りたいものである。

　したがって、施設での看取りの基本姿勢は、人間の尊厳の維持とその個人の人格を心から尊重、敬愛し、安らかに、苦痛なく、心満ちて最期を迎えることができるように、ご家族とスタッフ共に切に願いたい。そして、死に近く人の自分の表現とかれらの自立をできるだけサポートし、また、周りの方々との絆、とくに愛しい家族との絆を支援する環境の提供が肝心となる。

Column　看病用心抄にみる終末期の普遍的ケア

　800年前鎌倉時代、然阿良忠上人（1199-1287）が、'看病用心抄'（1240年頃）の中で、看病僧の倫理を述べている。死を前にした病人への接し方として、「出来るだけ良いことも悪いことも病人の想いに寄り添って差し上げるようにお勤めください」と記載している。このことは、現在私たちが行っている緩和ケアの基本的な姿勢であり、興味深い。

第 **3** 章
高齢者介護施設の看取りプロセス

1. 施設緩和ケアの一般的な構成と機能 （図 3-1 参照）

　ユニット／ノンユニット従来型緩和ケアは、すべての担当ケア提供者が参加して、個別的・包括的ケアアセスメント、実施計画策定の提案を行う。コミュニケーションの重要さ、精神的ケア（不安、抑うつ、せん妄など）、さらに疼痛、食欲不振、倦怠感、呼吸困難、不眠など症状緩和の問題点について、医師（チームリーダー）、施設看護師、介護福祉士、ヘルパー、管理栄養士、リハビリスタッフ（通常は、機能訓練指導士）による必要時に応じた、または定期的ミーティングが開始されなければならない。一般的に、高齢者介護施設は、いかなる場合も「より幸せで豊かな生活維持期のライフスタイル」を提供することが必要で

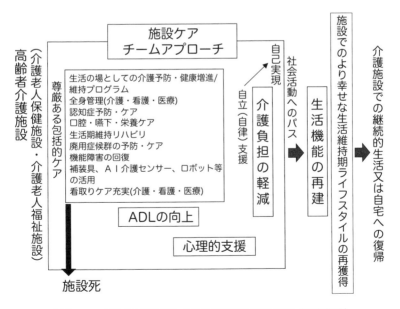

●図3-1　高齢者介護施設における包括的ケアの構図（著者作成）

あり、施設ケア・チーム（介護・看護・医療）アプローチが重要となる。

　そして、生活の場としての医療と介護予防、健康増進／維持プログラム、全身管理、認知症予防ケア、口腔嚥下、栄養ケア、生活維持リハビリ、廃用症候群の予防、機能障害の回復、補装具などの活用、さらに終末期ケアの充実がなされなければならない。介護、医療（看護も含めて）従事者は、すべて日常生活活動（ADL）の向上に努力して、心理的支援を行う。一方では、常時人材不足のこともあり、いろいろの人工頭脳（AI）ロボット、たとえばコミュニケーションロボットとか、また常時進化する介護ケアロボットを使って、介護負担の軽減に努力する。各種センサーの応用も、施設入居者ケアには必須であり、積極的に介護関連事故予防のためにも導入を検討しなければならない。このような手段で、いろいろの施設ユニット危機管理、ケアの質の向上に役立ち、生活機能の再建と継続的生活、自宅への復帰も視野にいれたチームアプローチが求められる。そして、施設の看取りには緩和ケアならびに終末・臨終期のケアがより保障されなければならない。

　それには、のちほど、具体的に述べるが、施設緩和ケアにおけるチームアプローチとして、介護福祉士、介護ヘルパー、医師、看護師、メディカルソーシャルワーカー（MSW）、事務スタッフ、リハビリスタッフ、管理栄養士、歯科医、歯科技術士、薬剤師などを含むスタッフで、多職種チームケアが行われれば、最も質の高い緩和ならびに終末・臨終期ケアの提供が可能となる。

2. 生活機能低下から死への適応〜死に行く準備プロセス

　高齢者介護施設、なかでも介護老人福祉施設で生活していく中で、加齢とともに終末期に段々と近づいていく。それは入居時の施設適応からだんだんと経時的に死を受容していく準備パスプロセスであるとも考えられる。特に認知症疾患が圧倒的に多い点を含めて、一般的に入居者は'わからない型'、'諦め型'、'淡々型（成り行きにまかせ、特に死ぬことを余り考えない）'が多く、一般的に死ぬことへ恐怖感、寂しさ、孤独感を持たない。彼らはこの認知障害の進行とともに死に関する不安、いら立ち、その他の感情や思いも共に次第に薄らいでいく。精神的苦痛、情緒的苦痛も無くなっていく。そして、身体的苦痛だけが残ることになる。

　老化とともに精神的成長、成熟していく‘昇華型’は、この施設では僅少である。特に苦痛の多い難治性の疾患がない場合は、個々別に自然体で身体の脆弱化とともに終末期、老衰を迎えていく。彼らは終末期に近づくにつれて‘寝たきり高齢者’としての日々の生活を送ることになる。いわゆる、「ネンネンコロリ」状態である。したがって、これら施設入居者のケアは、その‘人らしさ’を最期まで持てるように支持して‘思いやり’をもって、そして‘優しく’、‘人間らしさ’への共感をもって支える介護が必要であり、彼らが親しみや大切にされていることへの感覚が持てるようにしなければならない。特に起こりえる身体的苦痛を予想して、それの対処が非常に大切である。呼吸、循環、体温、食事、排泄などの丁寧な生命維持の緩和的医療的ケアも含めて、穏やかな暖かい施設環境で思いやりと優しさの介護ケアの提供の保障が求められる。

3. 施設における全人的苦痛（トータルペイン）、そして苦痛の緩和と管理
(1) 全人的苦痛（トータルペイン）と痛みの因子、それに対するケアの姿勢

　痛みを構成する因子は、‘WHO’（World Health Organization）によると[1,2]、がん、がん以外の病変、治療の副作用、発熱、食欲不振、悪心、嘔吐、便秘、衰弱状態、慢性疲労、痛みなどの‘身体的因子’、思う通りにならない心の葛藤の積み重ね、期待外れの友達、診断の遅れ、取りにくい診療予約、うまくいかない治療などからの‘怒りの因子’、品格・自律・身体機能の喪失、先行きが確実でない、家族のことが心配、罪悪感、寂しさ、不穏からくる‘気がかり因子’、そして社会的地位、仕事、収入、家族の中での役割の喪失、無力感、容貌の衰え、不眠などからの‘抑うつ因子’、これらの4因子が包括的に痛みとなり、苦しみとなる。

　一般的に、緩和ケアでよく提示される全人的苦痛（トータルペイン）[3,4]は図3-2に示したように、「身体的苦痛」〜痛み、その他の身体症状、日常生活動作の障り、「社会的苦痛」〜社会上の問題、経済上の問題、家庭内の問題（人間関係、遺産相続など）、「精神的苦痛」〜不安、いら立ち、孤独感、恐れ、うつ状態、怒り、そして、さらに「スピリチュアルペイン」〜人生、意味への問い、価値体系の変化、苦しみの意味、罪の意識、死の恐怖、神の存在への追及、死生観に対する悩みなどがある。最後の苦痛は、施設高齢者ではあまり問題と

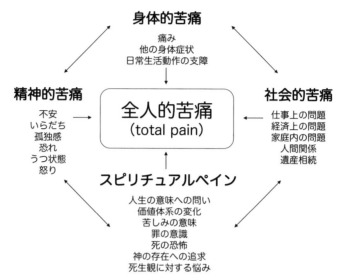

身体的苦痛
痛み
他の身体症状
日常生活動作の支障

精神的苦痛
不安
いらだち
孤独感
恐れ
うつ状態
怒り

全人的苦痛
（total pain）

社会的苦痛
仕事上の問題
経済上の問題
家庭内の問題
人間関係
遺産相続

スピリチュアルペイン
人生の意味への問い
価値体系の変化
苦しみの意味
罪の意識
死の恐怖
神の存在への追求
死生観に対する悩み

（World Health Organization: Cancer Pain Relief 2nd Ed. Geneva 1996; 日本緩和医療学会（編）2013「平成24年度厚生労働省委託事業，Smart Brief 2013, がんと診断された時からの緩和ケア」）

●図3-2　全人的苦痛の理解

はならない。後期高齢者は、もうすでに人生で遭遇するいろいろの問題を経験して、彼らなりの死生観を持っているのであろう。

　反して、もっと若い20〜60代の年齢層の方々は、人間が生きて行く上で最も根幹となる「何のために生きるのか」、「その意味、価値観」などの基本的なるものが、死に逝く時により重大な苦痛となることが多い。ここでも、人間の尊厳が問われるのであるが、私たちが持つ一人ひとりの尊厳と自立・自律、そして生きる意義、目的をもつことが、最も大切な人間たるべき基本姿勢となる。介護施設高齢者の終末期で最も多い苦痛症状は、身体的苦痛で、尿失禁と尿閉による痛み、頭蓋内圧亢進による頭痛と痙攣発作、そして意識障害、胃内容の逆流による吐き気と嘔吐による気道内の誤嚥異物と感染（誤嚥性肺炎）、重症心不全・閉塞性気管支疾患・肺水腫などによる呼吸困難、最期の日々における重度の息切れと、死が間際の騒々しい頻回の呼吸、終末期の出来事としての急性で高度な喘鳴、ミオクローヌス（一部の頻回の速度の速い非随意性の運動）、せん妄などがあり、これらの解放に、とくに医療ケアが重要となる。

　満ち足りた死を阻む障壁としての苦痛は、次のようなものとなる。苦悩、孤

立・孤独、軽視、ネグレクト、家庭内暴力、恐れと心配事、死後の未知、コントロールを失うこと、経済力、人生に意義を見出せないなどを考慮しておく。一方、人によって重要さの異なることも知っておかなければならない。それらは、自然な形で亡くなること、納得するまでがんや難治性の病気と闘うこと、死を意識しないで過ごすこと、残された時間を知り準備をすること、自尊心を保つこと、役割を果たせること、他人に感謝し心の準備ができること、信仰を持つことなど、それぞれ違いがあることを知っておくことは、大切である。

　上述の'WHO'が報告している全人的痛みを構成する因子は既述した通りであるが、高齢者の抱える苦痛は、老化と疾患の見極めが難しく、むしろ重複している場合が多い。老化に伴う心身機能低下により、徐々に自立した生活を望むのが難しくなる。認知機能障害などで意思の表明が難しいなどにより、痛み、食欲不振、嚥下障害、脱水、便秘・下痢、呼吸器症状、易疲労、筋力低下、拘縮、倦怠感、体温異常（発熱、四肢の冷感）、浮腫、ドライスキン、不安、不眠、視力・聴力低下、感染症の反復、発語できない、意欲や自尊心の低下などの老年症候群による多因性症状を訴える。

　苦痛は、月単位で悪化しているとすれば、たぶん数ヶ月は存在しているし、週単位で悪化しているとすれば、たぶん週単位で数える期間は存在している。さらに、日数単位で悪化しているとすれば、たぶん数日で数える期間しか存在していない。そして、可逆的な原因なしに悪化している時に、次のような変化があり、おおまかにいって日数で数える期間しか存在しない場合は、死が近いことを示唆する。

- ・身体がやつれ、ひどく衰弱している→ベッドに横たわったまま
- ・一日の大半にわたりウトウトしている→昏睡に向かう
- ・注意を向ける範囲が狭い→悪化してせん妄に移行する
- ・錠剤が飲めない。または飲むことが難しい
- ・食べものと水分を経口摂取しないか、できない、できたとしても少量しか摂取しない

　一般的に生活における苦痛も無視できない。姿勢、移動、整容、排泄、更衣、入浴、清潔、食事、環境などからくる「寝たきり高齢者」[5] からの生活上の苦痛も、私たちのケアの対象となる。

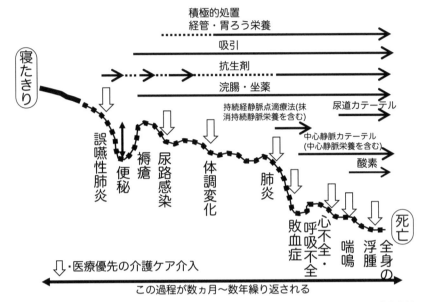

積極的処置
経管・胃ろう栄養

吸引

抗生剤

浣腸・坐薬

持続経静脈点滴療法(抹消持続静脈栄養を含む)

尿道カテーテル

中心静脈カテーテル(中心静脈栄養を含む)

酸素

寝たきり

誤嚥性肺炎

便秘

褥瘡

尿路感染

体調変化

肺炎

敗血症

呼吸不全

心不全

喘鳴

浮腫

全身の

死亡

⬇・医療優先の介護ケア介入

この過程が数ヵ月〜数年繰り返される

（桑田美代子「豊かないのちの看取り－生活の中のケア」緩和ケア 2007：17(2); 97-101., 一部著者改変）

●図3-3　従来型の寝たきり高齢者の延命医療のための終末ケア

　図3-3に見られる回復することのない終末・臨終期への経過は、寝たきりの発症から段々と速く重症化して、死亡に至る間にいろいろの医療ケア、たとえば頻回の吸引、経管栄養、抗生物質、くわえて浣腸、坐薬、尿路カテーテル、静脈栄養（中心、末梢）、また胃ろう増設などなどを導入して延命処置を行った症例であるが、医療処置を次々と症状に合わせて施行することによって、本来の経過を遅延させ、かえって多くの苦痛を誘発した医療行為の結果である。このケアで、本人は自分の最期に満足したのであろうか。否、本人抜きの医療ケア提供者だけの間違った満足であったと考える。これと対照的に図3-4の同じ施設高齢者の寝たきり状態であっても、緩和・終末・臨終期の苦痛が緩和される非薬物療法と最小限の苦痛を伴うか、伴わない医療の短期間介入で、優しい介護・看護を中心にできるだけ自然死もしくは平穏死を目指した介入である。それは、自然の状態で人間としての威厳をもって最期を迎えてもらうのが、最も求めるゴールとするケアである。どちらが、求められる緩和・終末・臨終期介護・医療であるか、明確であろう。

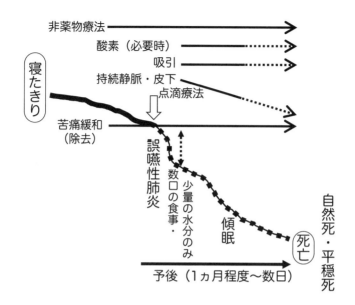

（桑田美代子「豊かないのちの看取り–生活の中のケア」緩和ケア 2007：17（2）；97-101., 一部著者改変）

●図3-4　'寝たきり'超脆弱高齢者の好ましい看取りケア

　さて、さらにこの寝たきりのトピックをさらに理解するために展開しよう。

　寝たきり高齢者への医療の問題点も多く、「生命の神聖さ（SOL：sanctity of life)」を見失いがちになる。予後の見きわめの困難さとその経過の不確かさであり、「自然なコース」「無理な延命はしない」という言葉のイメージが先行し、本人の「意思」の決定は，いつ誰がどのように行うのかが難しいこともある。この寝たきりになった高齢者が、その状態から死へのパスの間、上記に示した如く、肺炎、尿路感染、また頻回の再発性誤嚥性肺炎、ついに敗血症、心不全、肺不全、喘鳴、全身の浮腫などの状態をとるケースもあり、これまでは積極的に死に至るまで万全を整えて医学的治療がなされて延命処置がとられてきた。しかし、現在の施設高齢者においては、このような状態に対する医療処置は、なるべくしないのが原則であるが、これらの状態の苦痛に対しては、積極的にその除去のため、できるだけ侵襲性のない医療・介護処置を優先しなければならない。なるべく自然の死を念頭にして、アドバンス・ケア・プランニング（ACP）（早期の総合ケア・プランニング；人生会議）（第11章参照）によって

肺炎に対する抗生物質から、吸引、経管栄養、浣腸、座薬、酸素投与、また末梢の補液療法などは、一時的に導入することがあるとしても、だんだんと経口摂取はできなくなり、栄養失調、すなわち'蛋白エネルギー栄養失調'が進んで、全身るい痩（悪液質）と同時に、重症のフレイル・サルコペニア症候群となり、廃用症候群として、上記の寝たきり状態となる。このプロセスを、死に至ることを定めなき私たち人間の自然の経過（老衰）として、家族とケア提供者は理解しなければならない。

　したがって、私たちはできるだけ苦痛のない、可能な限り医療的介入はせずに'非薬物療法（介護・看護・リハビリ）だけで、その最後の過程をその人らしく苦痛なく逝くことができる'ことを理解しよう。

　図3-4は、このプロセスを範としている。寝たきり高齢者には、日々の生活に苦痛のない、それを緩和する非薬物ケアが、段々と中心的になり、人間らしさを支えるケアとして暖かい親しみや、大切にされている感覚を持てるようにする、心地よい穏やかな生活の提供である。

　それらは身体的苦痛の予防、緩和であり、いかなる苦痛も取り除くか、緩和する侵襲のすくない医学的介入を選択し、起こりうる苦痛を予測し、それに対する早期対応となる。さらに呼吸、循環、体温、食事、排泄などの基本的ケアの援助が必須となるのは、勿論である。

　ゆえに、まずは可能な限りの非薬物療法の提供により寝たきり高齢者の生きていく全ての苦しさの低減・除去が優先されなければならない。自ら姿勢を整えられない姿勢の保持であり、勢いよく身体を引きずられる移動や体位交換からくる移動の問題、粗雑な髭剃り、毛髪が引っ張られるような散髪、整容、尿、便失禁による不快さ、人に世話をされる情けなさ、排せつ物や陰部を見られる恥ずかしさなど排泄の問題、拘縮した関節、硬縮・痙縮した筋肉を無理に動かされる痛み、衣類が身体にフィットしない気持ち悪さ、シーツや布団のしわによる不快感、また不潔行為の問題や、お湯が熱すぎたり、ぬるすぎたり、勢いよくお湯をかけられる、口腔ケアで口の中を頻回にいじられる、過激な入浴動作、不清潔・不衛生な陰部の放置、さらに室温が熱すぎる、寒すぎる、悪臭がある、外の様子がわからない環境の問題など多くの苦痛を抱えていることを、ケア提供者は知り、それらに立ち向かう感性、思いやり、共感、そして勇気を

持たなければならない。

　知っておいて欲しいのは、超高齢者（概して、90歳以上）は、寝たきりの状態で、多疾患をもっていても、特に苦痛の身体症状がないか、軽度の場合は、何の医療処置もなく自然に食欲がゆっくりと無くなっていき、食べられなくなり、飲めなくなって傾眠傾向に陥り、眠るがごとく息が絶えていく症例をよく施設では経験する。自宅であっても変わりはない。このような、老衰死、自然死を期待するには、できるだけ健やかに、長生きすることである。古今東西このプロセスは、語り伝えられてきた。

（2）苦痛管理と緩和

　ここでは基本的に問われるのは、もうすでに前の小節で述べたが、ケアにおいて私たちが持つ一人ひとりへの尊厳と自立・自律、そして自己実現のための最も大切な人間たるべき基本姿勢があるか、否かである。この問題をさらにもっと具体的に続けよう。

1）苦痛の一般的管理～ケアをされる、する双方の満足感が大切

　この全人的苦痛の管理は、実は、緩和ケアの専門病棟だけでしかできないということはない。がん・非がんにかかわらず、全ての医療機関、また高齢者介護施設、在宅でも、全人的苦痛への対応が必然となり、緩和ケア病棟だけの存在意義は限定されている。

　満足して死ねる要素には、まず痛みを伴わないこと、すなわち疼痛からの解放である。可能な限り高い身体機能を保ちつつ終末期を過ごすこと、長期間続いていた対立関係を解決し、心のストレス、気にかかっていることなどの和解のチャンスも必要となる。次に、最終的な願望を叶えることであり、この世に残していきたいこと、伝えたいことなどを、何らかの形で次の世代に残していきたいものである。ケアについての決定を最後は、家族に委ねるのは高齢者介護施設では普通となっているが、ケア提供者側も共にその決定のプロセスを共有したい。そして、人間の本来のもっとも深い絆で結ばれている家族が愛する死に逝く人の看取りに満足して、最後まで共にケアをし、そばに寄り添い、送り出すことが大切である。

　では、満足度の高い緩和ケアとは、どういうことなのであろうか。まず、苦

痛の除去ができたことである。万が一、死の前の症状緩和ケアが十分にできなければ、この最期の入居者は、その人らしく死を迎えられないだけでなく、家族にとっても死を受け入れるプロセスに悪影響を与える。つぎに、本人らしい生活ができたこと、家族と入居者がよい時間を持つことができたこと、最期が穏やかであったこと、そして平静であったこと、入居者、家族とスタッフとのコミュニケーションがうまく取れたことなどが、挙げられる。

　したがって、満足度が低いケアとしては、症状コントロールが困難であったこと、ギアチェンジ（心、気持ちの転換）ができなかったこと、緩和ケアへの期待が大きすぎたことなどであろう。

(3) 症状からの解放とは、どのような状態をさすのか〜生きる満足感と希望

　最も緩和・終末・臨終期ケアに重要なのが、上記のいろいろな苦痛からの症状の解放である。たとえば、臨終期に苦痛がないことを保証し、目が開いた周りに見えることは苦痛ではない、呼吸と共に声がもれることは苦痛ではない、呼吸と共に顎が動いたり、喉が軽くゴロゴロと音をすることは通常、苦痛ではないと考えられている。この時期の入居者の聴覚は保たれていて、意識がないように見えても、彼らは終末臨終期、声を聞いて家族がいることをわかると信じられている。

　予測される経過を説明することは難しい。病状の変化には個体差や幅があり、容態が急に変わる可能性もあるが、大体の予測される変化や残された時間（こういう時間があればこういう風になる、など）がその経過に含まなければならない。また、具体的な説明なく急変を警告はしないことである。「いつどうなるかわからない」、「何があってもおかしくない」などというような言葉は、なるべく避けたいものである。苦痛なく亡くなることを保証することが、もっとも大切であるが、既述したように、特に高齢ほど、亡くなる前にもがき苦しむようなことは通常なく、苦痛を感じない状態で最後が迎えられる。これらを知っておくと役に立つ。

　症状緩和のための最適な治療は、快適さを提供することにある。症状緩和のための治療には、包括的なアプローチが重要となる。なぜなら、さまざまな症状はしばしば同時に起こり、それらは相互に関係があることが多いこと、また、

たとえば、痛みや興奮という異なった形で表現されることもある。

　重度認知症の人の不快（痛みとか寒さなど）の原因を見分けるためには、より多くの介護提供者の視点を取り入れる必要がある。この認知症に関する緩和終末期ケアについては第10章で具体的に述べる。

　要約すると、身体症状や行動障害、あるいは不快な症状に対する薬物治療や非薬物治療は、ニーズに応じて実践される必要がある。過剰・過少治療ではなく、その悩める人々に個別的な最適の治療が求められる。

　介護ケアは、死期が近い入居者にとって快適さ（安らぎ）を保障することが、大変重要となる。施設医師は、ケアの継続性を維持しながら特定の症状に対して、介護施設のスタッフを支援する。しかし、認知症の行動・心理障害（BPSD）に対応する際には、十分に対処できる薬物療法は勿論、非薬物療法にもプロフェッショナルな対応スキルを持たなければならない。とくに、後者の非薬物療法では、介護福祉士の感性、経験と学習が求められる。

（4）看取るポイントについて〜全人的アプローチ

1）生きる質、Quality of Life（QOL）の理解

　多くの人が共通して望む'人間にとっての望ましい生きる質（QOL）'とは、どのようなものであろうか。この問いに、私たち、ケア提供者は、十分に考えてなんらかの回答を持ちたいものである。

　それらは、希望を持って生きる、周囲の人々、特に家族に負担にならない、自立・自律している人として大切にされている、人生を全うできる、苦痛がない、望んだ場所で過ごすことができる、家族と良い深い絆で結ばれていること、そして友人も含めて周囲の方々と良い関係でいることであろう。さらに、落ち着いた環境で過ごすことである。個人差がある点では、他人に感謝し、心の準備ができる、価値を感じられる、他人に弱った姿を見せない、残された時間を知り準備する、信仰に支えられる、自然な形で過ごす、死や病気を意識しないで過ごす、そしてできるだけ必要な治療を受ける、などがある。施設では、特に介護・医療スタッフと良い関係でありたい。

　一方、死ぬ質（QOD）も同じく大切であるが、別の章で言及する。

2）終末・臨終期の看取りに際しての配慮と具体的な苦痛緩和の介護ケア

　'看取り'をめざすことは、全ての視点に立つ全人的アプローチケア（Whole Person Care）がまず必要であることは、すでに述べた。それは尊厳死、自然死、平穏死などをめざす終末期ケアに最も理にかなっているように考える。言葉を変えれば、意図しない自発的で消極的安楽死である。

　全ての苦痛の緩和マネジメントであり、可能な限りQOLの向上である。いつも入居者本人、家族への思いやり、いたわりのコミュニケーションと態度、行動が求められ、これは人間としての尊厳性の表れとして大切である。入居者本人の自立とケア選択の支援、そして、本人と家族による介護・看護スタッフへの満足、幸せ、感謝を得るベストケアを常時気づいて行動する。終末期ケアは、私たちの介護、看護、医療の結果として評価される。

　さて、緩和期から終末期、そして臨終期の高齢者入居者の状態は前述したように、まず排泄が段々と失禁状態となり、嚥下障害も現れ、立位歩行、座位保持が困難となり、寝たきりになる。

　排泄の工夫は、非常に大切である。排泄による苦痛や負担を加えないよう、排泄方法を常時検討する。また排泄の援助により自尊感情が低下することもあるので、本人の意向を十分取り入れる。排尿、尿閉、排尿困難による苦痛がないかを確認し、尿閉の場合は本人と相談し膀胱留置カテーテル挿入や間欠的導尿などを考慮する。しかし一般的には高齢者介護施設では、このような事態は少ない。失禁（おむつで排尿する）する場合は交換のタイミングも本人の意向にしたがうように検討する。同じ室内のトイレの利用を希望される場合は、ベッドからそのトイレまでの安全な導線、介助の方法も個々別に予めテストしておく必要があり、また便座に安全に腰かけ、身体の支えや姿勢をいつも注意深く見守り、修正などを早く行うことである。ベッドの傍に置くポータブルトイレも、ベッドからの移乗と便座の上での排泄行為も同じく個別化して介助の度合いを決めなければならない。

　排便は、食事量の減少に伴い便の量も減少するが、蠕動低下による排便にも留意する。また、腸液などの排泄や、女性の場合は、帯下の排泄などが不安定期に起こることがあり皮膚にトラブルが生じやすいため陰部や肛門周囲の清潔保持、しばしば洗浄、清潔保持を保つ。排泄物が水様・泥状の場合には、皮膚保護のために油性のアズノール軟膏、ワセリン（白ペト）軟膏などの塗布を予

防的に使っておくのが良い

　姿勢の工夫も大切である。褥瘡予防のために体位交換を機械的に行うのではなく、同一体位の持続や骨突出部の持続圧迫などによる苦痛に対して入居者の負担にならない方法・タイミングで皮膚の圧抜き、体位交換を行う。

　褥瘡予防ばかりでなく、呼吸器疾患予防の体動ケアにもよい。さらに、減圧のためのエアーマットレスの使用や背面の軽いマッサージの併用なども検討する。このエアー減圧マットレスベッドの体動変位は一日3〜4回程度（主に肺の喀痰排出体位交換のため）でよく、頻繁に行う必要はない。くわえて、疼痛部位や呼吸に影響する姿勢を把握し、安楽と思われる体位を維持できるように、形や大きさの違う適切なクッションなどを利用する。

　嚥下障害のある場合は、著者の経験では、簡単なベッドサイドの'簡易嚥下テスト'で、侵襲なく、迅速に、実用レベルで評価できる。そして、アドバンス・ケア・プランニング（ACP）の意思決定に基づいて、①経管栄養（1年程は持続可能で、苦痛が継続的に大）、②末梢輸液（普通は1〜3カ月持続、苦痛が少ない）、もし不可能で必要な場合は皮下輸液に移ることもある、そして③無治療（経口的にも非経口的にも何も投与せずに通常10〜14日以内、苦痛が少ない）の選択肢がある。一般的には施設では、②の末梢輸液もしくは皮下輸液を行うことが多い。①の選択は、普通はない。②の場合は、1日約500〜1,000mlから開始し、終末期になると200〜250mlに減少することもよくある。しかし、その間発熱し、誤嚥性肺炎を主とした急性悪化の場合はそれに対する抗生物質を使用するかどうか、脱水にならないような補液療法が必要かなどは勿論のこと、アドバンス・ケア・プランニング（ACP）で、本人は認知障害を伴うことが普通なので、家族の同意を得るのが正しい。溢水にならないように、むしろ軽度脱水状態がよい。臨終期には、補液は必要としない。

　全身の清潔ケアも維持する。動いていなくても発汗や分泌物で皮膚や寝具は汚染するので、入居者に苦痛の少ない方法で清潔さを維持する。とくに、陰部洗浄は毎日行うのが良い。洗髪、髭剃り、手指・足の細かい部分の清潔にも配慮する。しばしば高齢者には、皮膚乾燥しやすいので保湿剤を常時塗布する。口腔ケアも優しく一日頻回（少なくとも一日3回）提供し、口腔内の保湿、清潔保持に十分配慮する。

　看取りに立ち会いたい人とその連絡方法を前もって確認しておく。関わっていた多職種のケア提供者（同僚介護福祉士、看護師、医師）への連絡も十分に取らなければならない。看取りの場に相応しい雰囲気作りをする。プライバシーが保たれた静かな穏やかな環境で、死に逝く入居者のそばに家族が居られるように配慮し、通常、施設ではモニターは必要としない。

　死亡の際は、適切なタイミングで死亡確認を行う。看取りの場に必要な人の確認と家族の負担への配慮が十分になさなければならない。死亡本人への言葉かけも維持する。医師による死亡3兆候（瞳孔全拡大／光反射なし、心臓停止、呼吸停止）とその時間が確認され、死亡が宣言される。そして、亡くなった入居者の家族への労いの態度と言葉を示すことも忘れてはならない。家族が十分に別れの時を持てるように配慮する。医師は家族に死亡診断書について説明し渡すことになる。そして、死後の処置（エンゼルケア）も施設ケアの重要な仕事である。このトピックについては、本章4節（5）で述べる。

　くわえて、看取りケアの留意点として、既述のごとく私たちは'QOL（Quality of Life）'（生きる質）と'SOL'すなわちSanctity of Life（生命の尊厳）の両方をまず尊重する。'生命は無条件に尊い'という考え方に徹しなければならない。入居者と家族とのコミュニケーションを大切にし、終末に向けたケアについての意思を丁寧に頻回に確認しておく必要がある。全ての苦痛症状からの解放である。日頃から基本的な毎日の生活ケアを徹底し、そのうえで苦痛を緩和するために、まずは非薬物処置、必要ならば薬物治療を提供する。または既に提供している（開始を検討している）医療行為が苦痛を増強している（しうる）と思われる場合は提供を控えるか、その方法、量、頻度、内容などを医師・看護師と検討しなければならない。生命機能が低下している高齢者の看取り期には、急性期を想定した医療の適応により苦痛を増やすこともあることは知るべきである。末梢静脈点滴や経管栄養での過剰な水分投与は、心不全や痰の増加を引き起こし、苦痛を強いることがあるため、適切な量へ再設定するか、中止の検討が必要となる。癒すケアは入居者ばかりでなく、残された家族やケア提供者への支援も継続して行い、多職種による優しいチームアプローチを実践するのが良い。

　つぎに、死が差し迫ったときに見られる終末・臨終期症状とその緩和につい

て述べる。

　この時期には、これまでの痛みの増悪、新たな痛みの出現、呼吸困難感の出現と増悪、不穏、混乱、せん妄、排尿困難、便秘、全身の身の置き所のない倦怠感、口渇などがあるが、私たちが一般的に施設で見る高齢者の終末期は、このような症状は、少なく、ゆっくりと全身が衰弱し、意識もだんだんと消失していく。枯れ木が崩れていくように、老衰プロセスを普通に経験するので、'安らかな平穏死'を迎えることが可能となる。

　しかし、既述したごとく安楽な姿勢は、いつも考えなければならない。身体に合わせたポジションで、既存の姿勢への配慮もあって、個々別にポジションを決める、また経過中にもポジショニングの変更などはとくにフォローしなければならない。新たな苦痛を与えないということで、褥瘡予防などは、本人が寝たきり、また体動交換が不能な場合には、ぜひ既述の高機能体圧減少エアーマットレスを使用するのが良い。体力の消耗に配慮したケアを、いつも考えることである。

　自然死もしくは平穏死は、医療行為をできるだけしないで、このように必要な介護ケアを提供してなるべく自然の状態で人間としての威厳をもって最期を迎えてもらうのが、最も求めるゴールとするべきである。しかしながら前述したように、その間肺炎、尿路感染、また頻回の再発性誤嚥性肺炎、ついに敗血症、心不全、喘鳴、全身の浮腫などの状態をとるケースもあるが、一般的に施設高齢者においては、このようなことに対する医療処置は、最低限にするか、何もせずに自然の経過に任せるのが原則である。これらの状態から誘発される苦痛に対しては、高齢者介護施設では薬物ではなく、上述の緩和介護ケアで積極的にこの苦痛除去を優先しなければならない。そして、なるべく自然に逝くことを原則として、アドバンス・ケア・プランニング（ACP）にしたがって肺炎に対する抗生物質とか、吸引、経管栄養、浣腸、座薬、酸素投与、また末梢の補液療法などは、一時的に導入することもある。しかし、医療的介入がなくとも、非薬物療法だけで、その最後の過程をその人らしく逝くプロセスを、範としている。実際、そのような経過をとるのが常時である。

3）介護施設高齢者の臨終前後の看取りにおけるケアの流儀

　この節の最後に、私たちの高齢者介護施設における最期の看取りケアの一般

的な進め方を上記と重複する箇所もあるが、大切なことなので少し視点を変えて述べる。

臨終期のケアは、最期の瞬間まで亡くなっていく施設高齢者の'尊厳の保持'があくまでも中核である。惨めでなく、苦痛でなく、大切にされているという実感が、本人と家族は勿論、さらに私たち介護、医療従事者にも感じなければならない。したがって、施設内での毎日の日常生活でのケアの充実が必要となり、日々の繰り返すケアにこそ価値があると考える。

死に近く入居者のそばで、家族が落ち着いて快適にいられるように配慮する。ベッド柵や医療器具が邪魔になったり、座るところがなかったり、医師や看護師、また介護福祉士が周りに取り囲んでいて彼らが一番近くにいられないことも良くない。死後の処置（施設エンゼルケア）や接し方には特に配慮する。化粧や服など、生前の亡くなった施設高齢者本人らしい、でも品格を表す美しい容姿に整えることに配慮する。体を清潔にして、着替えの時も生前と同じように、直接声をかけたり、大切な人として接していくのは当然である。さらなる具体的なことは、後の章で言及する。

介護スタッフ、医療者の思慮のない会話は避けなければならない。病室の内外から彼らの声が聞こえてくるのは、家族にとって不快なことがある。

既述したように、かならず、その亡くなった方の家族の労をねぎらうことも大切である。家族全員がそろってから死亡確認をするように配慮する。そして、家族は十分なグリーフ（悲嘆）できる時間を確保することを忘れてはならない。

筆者は、全ての入居者の死亡確認後、2〜3分間の'鎮魂のことば'を逝った本人の前で、語りかけることにしている。その内容は、入居してからの私たちとの生活のなかで、印象に残ったその人らしい言動〜周りの人々への思いやり、優しさの'ことば'と振る舞い、特に美しいこころ使い、癒される笑顔、家族への深い感謝など、お互いのラポールを通しての素晴らしい絆で結ばれた私たち、介護・医療ケア提供者からの感謝と人生最後の大切な時を共に暮らして、この施設でケアをさせていただき、それによって'老いて生き、死んで逝く'ことのプロセスとその意義を直接経験する機会を与えて下さったことへの感謝などである。その一例を下に記す。

○○○○さん、

お別れに時が、参りました。今、大好きな妹さんとそのご家族で、貴方が最後に私たちと共に過ごしたこの部屋でお送りしております。

○○さん、貴方の69歳の一生は、その中年期ごろから、いろいろの苦難を経験されました。8歳の愛するお子様を失い、そした、御主人とも離婚されました。貴方の人生の後半は、幸せとは、到底言えない状態でした。

貴方は、難治性の病気、若年性認知症が56歳の頃診断されましたが、それ以前から、悲しい日々の出来事のなか、しだいに進行する物忘れと精神的、身体的機能の低下とともに毎日の生活の不安定さ、孤独、寂しさ、自分で何もできなくなり、恍惚の人となっていきました。

でも、貴方の妹さんが、親身になって貴方を御世話され、最後の棲家として私たちの施設に連れてこられました。もうすでに歩行もできず、なんとか座位を保てる程度で全介助でした。言葉のコミュニケーションも不可能でした。私たち、ケアの提供者は貴方を過去の悲しいご経験からできるだけ解放されるように、この施設でそのままの貴方らしく静かにこころ満ちて、最期を迎えてもらおうと決意しました。

私たちの施設で約3年9ヶ月もの間、共に過ごしていいただきました。その間、最初の頃は何とも言えない魅力的な微笑みをよくして下さいました。優しかったです。癒されました。私たちのケアにも従順でした。私たちは、本当に家族の一員として思いやりと共感をもって介護、看護、医療ケアをさせていただきました。

でも、だんだん傾眠状態となり、ゆっくりとたべられなくなり、飲めなくなり、苦痛なく、自然に静かな眠りのなかで最後の時を迎えられました。それは、多臓器不全、全身衰弱が直接原因でした。妹さんが、最後まであなたを思い協力して下さいました。貴女への思いやりと優しい心配りの姉妹愛の素晴らしさに

深い感動と印象をいただきました。

この施設のこのユニットの私たちに、貴方の最も大切な最期を託していただき、こころから感謝致しております。私たちは、貴方をケアさせていただき、生きいくこととは、人の絆とは、死んでいくこととは、何だろうか。このなかで、私たち自身も含めて、人間的とは、一人ひとりの尊厳を基盤にして、思いやり、優しさ、共感のこころをもって、人々に接し、絆を深めることと思います。

最後の、貴方の胸の上にある真紅の一輪の薔薇は、私たちからのお別れの印です。今は、萎んでいますが、この薔薇はこの貴方の部屋で、最後の数日生けられていました。きっと、悲しくて萎れて泣いているのでしょう。どうか、貴方を共に連れて逝ってください。

では、これから行かれる西方浄土の国で、貴方のお子様、ご両親、親しいお友達と今度こそは、楽しく、活きいきと、なんの不安もなく、こころ暖かい絆のなかで、新しい人生に向けてご出発されることを私たち施設職員一同こころからお祈り致します。

合掌

　つぎに、臨終期までに施設職員、特に担当介護福祉士、看護師は下記の事項は、全て解決しておくことが肝心である。

①インフォームドコンセントと治療方針に関する家族の理解および同意～最近では頻回なアドバンス・ケア・プランニング（ACP）が施行される。これには、施設ケア側と本人・家族の話し合いで合意したケア・治療方法であり、介護・医療者との関係はお互いに十分のコミュニケーションによる理解と信頼に基づく。そして死への準備、遺言、遺産相続、葬式、墓などが話され、それに対する回答がなされているのが良い。

②入居者の身体的・精神的・社会的状態としての症状や痛みのコントロールの質の評価

③嚥下、呼吸に苦痛なく、疼痛も管理され、心理的状態として人生を振り返っ

て満足感や達成感、死の受容がなされており、経済状態として介護・医療費、残される家族の経済生活がある程度保障され、家族関係は家族と過ごす時間、コミュニケーションと信頼の中で絆を保持されていること

④特に、苦痛の察知は、微弱なサインをもキャッチする。苦痛の軽減、緩和に努めなければならない。人工栄養、補液、酸素吸入（低酸素は脳内モルヒネの分泌により苦痛はない）、ならびに吸引の是非もACP（アドバンス・ケア・プランニング）（第11章参照）にて個々別に話し会わなければならない。死前喘鳴（のどの筋肉の緊張と弛緩との判別もしなければならない）の除去も必要となる。摘便、浣腸は、ここ数日の排便状態、経口摂取量と腹部の状態を診て実施する。

⑤'胃ろう'については一般的に、施設ケアでは薦めていない。もし必要ならば、導入時に医師がしっかり説明をし、関係者全員で合意を形成していくこと、すなわち、ACPが大事となる。'胃ろう'だけでなく、経鼻胃栄養、中心静脈栄養も全く同じである。開始の差し控えと、中止についても十分に理解し、納得し、合意していることが大切である。'胃ろう'は、幸せな施設・在宅生活を送るためのツールとなる場合もあるので、特に終末期ケアでない場合は、この造設も不可能ではない。点滴栄養療法の効能と限界についても同じように、個々別に指針を立てておく必要がある。

⑥安楽な呼吸、むやみな吸引の回避は勿論である。水分量の調節、浮腫や気管分泌が多い場合は、特に摂取をできるだけ制限しなければならない。呼吸困難や舌根沈下における姿勢の維持も十分に観察し、呼吸困難に対しては薬物、非薬物療法で対処する。舌根沈下については、姿勢、さらにマウスピース、もしくは鼻・咽頭カニューレなどが使用される。

⑦排泄の工夫、⑧姿勢の工夫、ならびに⑨口腔ケア　〜すでに前述したので、説明は省略する。

⑩環境条件は、望んだまたは与えられた場所（ここでは、施設）、居室の快適さ、家族と共に過ごせる場所、建物を取り巻く環境などがその構成因子となる。それに福祉社会制度、医療サービス、福祉サービス、医療費ならびに介護費用に対する公的、私的保険が適応資格により提供されることを理解している。

4. 終末・臨終期ケアでのケア提供者に求められる一般的な業務と実践[6]

　下記の事項は、ケア提供者に求められるので、その知識と理解、そして必要な行為は、避けがたい任務であることを認識する。

(1) 看取り介護・看護の記録〜下記の整備を忘れてはならない。

　①看取り介護・看護同意書、②医師の指示、③看取り介護・看護計画書、④経過観察記録、⑤カンファレンスの記録、⑥臨終時の記録、⑦看取り終了後カンファレンスの記録などが求められる。

(2) 看取り介護・看護の実施内容の確認

　まず、①栄養と水分。他職種で協力し入居者の食事・水分摂取量、嚥下状態、浮腫、尿量、排便量、体重などの確認を行う。入居者の身体症状、経口摂取状態に応じた食事、好みの食事などの提供に努める。

　②清潔の保持。入居者の身体状況に応じ可能な限り入浴や清拭を行い、清潔保持と感染症予防対策に努める。

　③その他、心休まる安楽の提供のため入居者や家族の希望に沿うように努力する。

　④苦痛の緩和。身体面では入居者の身体状況に応じた安楽な体位の工夫などの援助および医師の指示による疼痛緩和などの処置を適切に行う。精神面では入居者や家族が、常に職員のケアに思いやりや気配りが感じられるよう頻回なユニット部屋の訪問や声掛けによるコミュニケーション、行き届いた優しいこころの籠った暖かい支援を提供することに徹底する。

　終末期ケアに介入する時に知っておくべきことがある。それは、終末期エンド・オブ・ライフ（EOL）における有益性のことである[7]。がん・非がん末期における身体の変調において、相当進んだ悪液質状態を高カロリー輸液で補うことは無益であること、輸液をしないことのメリットを十分に理解し、それを施設入居者ならびにその家族に説明をして理解してもらうことである。前述したように、胃ろう（PEG）造設して高カロリー流動物投与については、なるべくその実行をしないのが原則であることは、すでに述べた。その件については、当初からアドバンス・ケア・プランニング（ACP）の際に入居者・家族とスタッ

フ間で十分な合意がなされなければならない。

さらに、エンド・オブ・ライフ（EOL）[8-10] では、ライフレビューの完成、薬剤の整理（中止）、死前喘鳴の処置などの末期の症状の管理、その他の最期の看取りの達成のためのサポートなどが含まれる。

施設緩和・終末期ケアの‘情報共有’（表3-1参照）をして、入居時カンファレンスで一人ひとりの症状、治療経過、予想される予後、終末期の要望、家族の状況などの情報収集（担当介護福祉士、看護師、ケアマネジャー、医師などによる）、問題点の洗い出し、介入計画の作成、カンファレンスでのプレゼンテーションと討議などである。

●表3-1　高齢者介護施設緩和・終末期ケアの情報共有

入居時カンファレンス（関連フロアユニット／従来型スタッフ）
　　入居居住者の症状・治療経過・予想される予後・家族の状況などの情報収集（担当看護師・介護福祉士）→担当医師による総括的症例レビュー
　　問題点の洗い出し
　　介入計画の作成
　　アドバンス・ケア・プランニング（ACP）（第1回）
　　当カンファレンスでのプレゼンテーション・医師を含めての討議、など

モーニングブリーフカンファレンス（毎日）
　　その日の問題点の確認
　　行動計画の確認
　　担当以外に必要なスタッフがいればさらに介入、など

随時カンファレンス
　　解決困難な問題がある場合に協議
　　アドバンス・ケア・プランニング（ACP）の再検討・修正
　　適宜担当医師、ユニット／従来型スタッフを交えての話し合い、など

定期的ケアトピックミニカンファレンス
　　小グループで、ケア上のいろいろの問題となっているトピックを啓蒙的に学習する勉強会、など

デスカンファレンス（関連フロアスタッフと担当医師）
　　ターミナルにいたる経過の説明
　　チーム介入の効果と反省点の確認、

（著者作成）

モーニング・ブリーフ・カンファレンスは、毎日朝の仕事開始前に全勤務ユニット介護リーダーかその代理、看護師代表、その他の領域代表スタッフが出席し、施設長、介護士主任、看護師主任らによる交代司会で行われることが望ましい。その日の問題点を確認し、行動計画を確認、記録し実行する。全施設を2〜3グループに分けて同時に行うのも良い。

　随時カンファレンスも必要となる。解決困難な問題がある場合に、関連スタッフを交えての話し合いをする。定期的ケアカンファレンスは、ユニット単位の小規模での各々のケアの問題点を話し合うとか、現に問題となっているケアのトピックスをお互いに学習する学びの場所でもある。そしてデス・カンファレンスは、全関連スタッフの出席が求められ、多職種担当者はそれぞれ終末期に至る経過と臨終期の経過の説明をして、また死後直後のグリーフケアとその後のフォローアップの計画もプレゼンテーションする。さらに、チーム介入の効果と反省点を討議・確認し、次の緩和・終末期のケアに繋がなければならない。

　この緩和・終末期のケアでは、最期の瞬間まで亡くなっていく施設高齢者の'尊厳の保持'があくまでも基本であることは述べたが、惨めでなく、苦痛でなく、大切にされているという実感が、ケアされる側とケアをする側に確認されなければならない。したがって、既述したように'毎日の日常生活のケアの充実とその繰り返すケア'にこそ価値がある。

(3) PDCA（Plan, Do, Check, Action）サイクルの施設看取りケア[6]

　施設における看取り介護・看護の体制構築強化に向けたPDCAサイクルが、厚生労働省労健局から提案されている（図3-5）。まず、体制の整備であり、看取りに関する指針の策定と入居者またその家族に対する説明である。24時間連絡のできる体制の確保は、介護職員と看護職員に求められ、介護職員は看護職員不在の時の対応の周知などの連絡体制の整備、夜間や緊急時における救急搬送などの連絡体制を含めて、医師や医療機関との連絡、連携体制の整備は必須である。看取りに関する職業研修とか、個室または静養室などは十分に整備されていなければならない。

　Plan-Do（計画・実行）：看取り介護・看護に関する計画を作成し、入居者と

その家族に対して説明を行い、多職種連携のための入居者の日々の記録を活用した説明資料による情報提供（説明支援ツールの活用）、合理的な介護・看護職員体制（オンコール体制または夜勤配置）、さらに家族への心理的支援などは看取り介護・看護には求められる。

くわえて、夜間帯に死亡される入居者もおられ、施設では死亡時の最初の確認は、その入居棟の当直介護福祉士である。したがって、全ての介護福祉士には、死の確認として3徴候の所見を学習させておくことが肝心である。

Check（チェック；振り返り）：実施した看取り介護・看護の検証が行わなければならない。職員の精神的負担の把握と支援は勿論のこと、各職種が参加するケアカンファレンスなどを通して、これらの振り返りを行い、次のケアにそれを応用していくことがケアの質の向上の鍵となる。

Action（アクション；改善への行動）：体制の改善で、看取りに関する指針を一定期間ごとに見直し、家族などに対する看取り介護・看護に関する情報報告会を開催し、入居者またはその家族および地域住民との意見交換による、包括的看取りケアの改善、地域への啓蒙活動への実施も求められる。

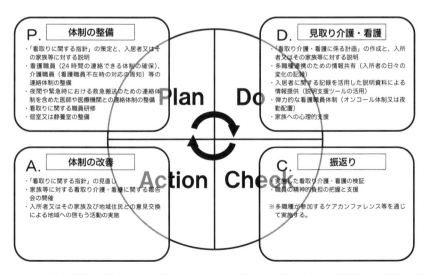

（看取り介護指針・説明支援ツール【平成27年度介護報酬改定対応版】：厚生労働省老健局）（一部著者改変）

●図3-5　施設における見取り介護・看護の体制構築・強化に向けたPDCAサイクル

(4) 家族支援

身体状況の変化や介護内容については、定期的にケア提供者（医師、看護師、介護福祉士など）から説明を行い、家族の意向に沿った適切な対応を行う。継続的に、家族とコミュニケーションを取り、不安を傾聴するなど、精神的な援助を行うほか、入居者やご家族の求めに応じ、スピリチュアル的、また時には、宗教的な関りの援助も行わなければならない。また後述（第12章）の死後のグリーフケアも含まれる。

(5) 死亡時のエンジェルケアと支援

医師による死亡確認後、看護師と介護福祉士の2人で約15〜20分をかけて施設エンジェルケアを行う（表3-2参照）。このエンジェルケアには、家族の介入が推奨される。一般的には、死化粧は施設では提供しない。後で家族か、葬儀社のスタッフで行われる。また、既述のしたように筆者の場合、すべての亡くなられた入居者の方々に2〜3分、その一人ひとりに私たちが大切な人生の終結のケアをさせていただいたことへの感謝と施設で生活されていたその方のそ

●表3-2　施設エンゼルケアの実際

1. ノンメディカル死亡確認〜死の3徴候（呼吸停止、心臓停止、瞳孔開大で対光反射なし）
   2時間以内（死後硬直の前）に、遺体のベッド上での楽な自然姿勢補正
   〜頭・頸部；上肢（特に、両手の位置）；下肢
   目と口の補正（顎の下にタオルを挟み、下顎の沈下を防ぐ）
2. 洗髪（例えば、頭髪洗浄用リンスインドライシャンプー使用；頭皮マッサージ）、ヘアメイク（整髪）
3. 顔各部位の清掃[液体ボディ清拭剤（例えば保湿剤配合の植物エキス）、アラ（ARA）など使用]、顔全体の清拭・マッサージ（アロマ油、保湿剤ヒルロイドローションなど使用）
4. 口腔内の清掃・清拭
5. 身体の清掃・清拭（陰部洗浄、清拭、排泄物の処理などを含む）（ドライメッシュタオル、柔らかいディスポーザルペーパータオル、てりーな清拭フォームなど使用）
6. 必須ではないが、顔の軽い化粧（特に、顔は静かに眠っているように整える）
7. 更衣（顎の下のタオルは、死後数時間は除去しない。）

＊通常医師の法的死亡確認（病死・自然死）後にエンゼルケアが施行される。

の人らしい印象的な思い出の回想を鎮魂の言葉として、死亡確認直後に行うことを習わしとしてきた。この時には、家族は勿論、施設のその方のケアに携わった看護師、介護福祉士、そしてケアマネ（メディカルソーシャルワーカー）も、共に聞いてもらい、最後に合掌を皆で唱えて、その後お互いの労をねぎらうことにしている。

　施設から出棺時のお別れや見送りは、可能な限り看取り介護・医療に携わった全職員で行い、親しくしていた入居者なども立ち会うことも考慮する。死後、必要に応じて、家族の支援（葬儀の連絡調整、遺留金品引き渡し、荷物の整理、相談対応など）を行う。このグリーフケアについては、後の第12章で総括して述べる。

【引用文献】

1. World Health Organization『Cancer Pain Relief, 2nd Ed』、Geneva, 1996
2. Cherny N: The Problem of Suffering and the Principles of Assessment in Palliative Medicine. 『Oxford Textbook of Palliative Medicine, 4th Ed, Hanks G et al（eds）』、Oxford University Press, Oxford, p43-46, 2010
3. 日本緩和医療学会（編）2013「平成24年度厚生労働省委託事業,Smart Brief 2013, がんと診断された時からの緩和ケア」.
4. 日本医師会（監）2008『がん緩和ケアガイドブック』.
5. 桑田美代子「豊かないのちの看取り－生活の中のケア」緩和ケア17（2）; 97-101、2007.
6. 全国老人福祉施設協議会並びに厚生労働省老健局（編）2015「看取り介護指針説明支援ツール（平成27年度介護報酬改定対応版）」.
7. 「End-of-Life Careの原則」AGS Ethics C, 1997.
8. The National Council for Palliative Care : Palliative Care Explained、2016.（https://www.ncpc.org.uk/palliative-care-explained）
9. Fisher R et al.『 A Guide to End-of-Life Care for Seniors』p9-12, Health Canada, Ottawa, 2000.（https://www.rgp.toronto.on.ca/PDFfiles/eol-english.pdf）
10. National Health Service『Core Competences for End of Life Care ; Training for Health and Social Care Staff』、London, p10-12, 2008.

Column　介護の原点と死

　介護の原点は敬老精神であるが、この介護は、本人の機能を低下させるエビデンスもあり、過保護介護とならないようにケアをする。自分のことはできる限り自分でやり続ける覚悟、すなわち自立型の老後と自然な死を受け入れる心の準備をする。これからの超高齢化社会に向け、個人も社会も自立型の老いと自然死（老衰死）へ目指すかじを取ることが求められる。この達成には、健康

長寿でなければならない。

　そして、これからの人生100年時代の晩年の分岐点としての選択肢は、口から食事が食べられなくなった時ではなかろうか。寿命をあきらめる方向、胃ろうや経管栄養をせずに、このなるべく'自然な死に方'として食べられなくなった、水分もとれなくなった状態においてはゆっくりと飢餓、絶食のパスをとって苦痛なく死に至ること。このプロセスは、私たちの祖先もやってきたことであり、静かに「平穏死」を迎えることができるパスであろう。

Column　求められる高齢者介護・医療の8つの条件とは

　（1）苦痛のない平穏な看取りケアなくしてはない、（2）優しい個々別の認知症ケアなくしてはない、（3）口腔・嚥下・栄養管理ケアなくしてはない、（4）個々別のリハビリテーションなくしてはない、（5）その人らしく自由な活き活きのライフスタイルなくしてはない、（6）一人ひとりの極め細やかな思いやりの心のケアなくしてはない、（7）周囲の人々との信頼と尊厳の強い絆なくしてはない、（8）老化介護予防の実践なくしてはない。

Column　終末期に伴う疼痛以外の苦痛

　疼痛以外の症状からの解放は、疼痛の解除と同じく必要になる。一般的に評価は、症状の評価から始まる。私たちが多くみる症状として、特に終末期（エンド・オブ・ライフ）に見られる尿失禁、尿閉、痛み、長い脳圧亢進のある入居者、ミオクローヌス、けいれん発作、最期の日々における重度の息切れ、死前喘鳴、気道の感染、肺水腫、胃内容の逆流、死が間際の騒々しい頻回の呼吸、終末期の出来事としての急性で高度な喘鳴などであろう。薬剤による治療に加えて薬剤以外の補完代替治療が症状緩和のために積極的に導入しなければならない。

Column　施設看取りケアの基本的姿勢

　要約すると、ケアにおける基本的姿勢は、入居者の意思を尊重する、その人らしく（望みの尊重）、入居者のQOLを高くする（生きる質向上）、苦痛を少なくする（苦痛緩和／除去）、気持ちを理解する、傾聴（傾聴、共感、協働）する、ご家族にも理解してもらう（説明責任）、そして、どの入居者にも公平に接する（差別しない）ことを、まずは守られなければならない。臨床倫理の範疇となる人間尊重（尊厳）、無害、期待（希望）、永続性、社会的正義、これらを満たさなければならない。

したがって、緩和・終末期ケアは、一期一会の最後のhumane的思いやりの 'お もてなし' といっても過言ではない。

Column　緩和・終末期ケアに繋がる私たちの施設ケアのあり方

施設ケアをおこなう私たち介護・医療従事者は、心と体の病気を持つ施設入居者の自助努力にプラスの影響を与えることが肝心である。共感的、効果的なコミュニケーションを通して、彼らを傍て支える者として受容し、温かい関心、励まし、忠告と、指導に意味を持たせ、そして入居者一人ひとりの残存能力を最大限引き出すことである。そして、希望を与えることが重要となる。

ケアをする者はとりあえず、個別的に対象入居者の目標を設定し、試行錯誤を繰り返しながら、その中で見失っていた彼等自身のしたいことや、生き方を見つけていくことを励まし、助言を与え、心の成長を温かく見守ってサポートしていく姿勢が必要である。

第4章

高齢者介護施設での
終末・臨終期の対応と調整

1. 看取りステージの対応[1-3]

　さて、高齢者介護施設、特に介護老人福祉施設では入居した時から、老衰、認知症を含めての最後の死に至るまでの看取りのステージをよく経験する。一方、介護老人保健施設での看取りは、前者と特に変わることがないが、ごく少数になるので、前者を例にして述べる。

　入居時のほぼ自立ADL保持安定期ステージ（緩和期）から、ゆっくりと安らかな死への準備期間の終末前期（死亡前約3ヶ月間）（Stage #1）へ移行する。この時期から高度衰弱・廃用期へと悪化する終末中期（死亡前約1〜2ヶ月間）から後期（死亡前2〜3週間から死亡前2〜3日まで）（Stage #2）へとなり、全身状態は、全介助を必要とする寝たきりとなる。そしてだんだんと死にいく過程の最終局面を迎える臨終・臨死期（Stage #3）（死亡前1日から数時間）となる。さらに亡くなられた後の'グリーフ'（悲嘆）期（Stage #4）が続く。このプロセスは、表4-1に、各ステージの対策とともに要約してある。なお、介護施設では、入居時から緩和ケア（緩和期）を始めることが薦められる。

　日常生活動作の障害の出現から死に至るまでの経時的な変化は、まず、移動ができなくなり、排泄（排便、排尿）ができなくなり、食事も進行的に摂れなくなり、水分摂取がその次にできなくなる。その後、会話、そして応答ができなくなるというような順番で進行し、通常、死亡前1〜2週間までにこのプロセスを見るのが普通である。このような経路を知っていることは終末・臨終期ケアにとって大切な意味がある。

　臨終期（死亡前約1日）は、死が差し迫ったときにみられる症状と、その緩和も、十分な知識とそれの対応がなされるスキルが必要になってくる。すなわち、臨終期ケアの方法である。まず、死が迫ったときの症状としてこれまでの痛みの増悪、新たな痛みの出現、呼吸困難感の出現と増悪、不穏、混乱、せん妄、排

●表 4-1　施設入居者の経時的看取りステージに応じた対応策例

ステージ	対応策
Stage 0 日常生活期（緩和期）	ご本人・ご家族とのよりよい関係づくり 医師・医療機関とのよりよい関係づくり ご本人・ご家族の死生観や最期の場所の希望の確認
Stage Ⅰ ターミナル前期 （安らかな死への準備期間） 数ヶ月	【状態例】 ・意欲の喪失、ベッド上あるいは居室で過すことが多い。 ・会話はできるが、刺激をしないと初後が少ない。 ・食事摂取量の低下。 ・臥床時間が長くなる。 ・周囲への関心がなくなる。 ・倦怠感が強い、悲観的になる、イライラすることがある。 【対応例】 ・尊厳の保持、共有、共感。 ・緩和的治療；精神的援助；身辺整理への配慮 ・疼痛マネジメント；その他の症状マネジメント ・ご本人の生きる意欲を高める。精神的支援。 ・ご家族との関係は「説明と同意」から「相談と協働」へ。 ・医療面では「最高」でなく「最善」の選択を心がける。 ・身体の苦痛を緩和し、身体的不自由さを補う。 ・記録は詳細かつ正確に書く。
Stage Ⅱ ターミナル中期〜後期 （死にゆく過程の最終局面） 数週間〜数日	【状態例】 ・昼夜の区別がつかなくなる。 ・傾眠状態で呼びかけへの反応が低下する。 ・経口摂取が低下する。 ・自動運動（手足を動かす行為）が低下する。 ・呼吸が浅くなり、鼻先がとがってくる。 ・顔色が白っぽくなる。 【対応例】 ・日常生活の援助；スピリチュアルケア；安楽ポジションの工夫；持続皮下注入法； 　せん妄の対応；セデーション考慮 ・コルテユロステロイドの使用；高カロリー輸液中止 ・「することの大切さ」以上に「そばにいることの大切さ」。人格をもった人として接する。 ・こまめに訪室する。 ・苦痛の緩和（安楽な体位）。 ・声かけ、手足や体をさする、スキンシップをとる。 ・好きな食べ物を少しずつ時間をかけて食べてもらう。 ・体の清潔を保つ。 ・ご家族への精神的支援。予期悲嘆への配慮。延命と苦痛緩和の葛藤への配慮。 ・亡くなったときに着用する寝衣の確認。 ・記録は詳細かつ正確に書く。 ・看病疲れへの配慮；蘇生術についての話し合い

Stage III 臨終・臨死期 （死亡直前期：1日前から数時間）	【状態例】 ・問いかけに反応なし（意識レベルの低下） ・呼吸の数が浅く、少なくなる、無呼吸が見られる。 ・脈拍は除脈になる。 ・尿量が少なくなる。 ・低体温になる。 ・血圧が低下、聴診器で血圧が測れない。
	【対応例】 ・人格をもった人として接する。 ・死前喘鳴の対応，非言語的コミュニケーション ・医師・看護師と連絡を図りながら対応する。 ・家族とともに見守る。 ・声かけ、手足や体をさする、スキンシップをとる。 ・聴覚は残ることを伝える：死亡直前の症状の説明；家族にできることを伝える。
Stage IV 悲嘆（グリーフ）期 その後	【対応例】 ・ご家族と共に悲しみをわかちあう。 ・死後の処置。 ・お別れ、通夜、葬儀。 ・ご家族への悲嘆（グリーフ）ケア。 ・職員の振返りカンファレンス。

（三菱総合研究所〈編〉2007「特別養護老人ホームにおける看取り介護ガイドライン」）（著者一部改変）

尿障害、便秘、全身の身の置き所の無い倦怠感、そして口渇のような症状を見る。したがって'看取り'における望ましいケアとは、死にいく施設高齢者が「苦しくない」と答えてくれた場合は、特に改善の必要はなく、十分にケアが行われていると判断する。死にいく施設高齢者にどのように接したらいいか、担当スタッフ、とくに介護福祉士が共に親身になって考えてくれた、というのも改善の必要のないぐらいケアの質が高いと見做してよい。前述したが、室の外から医師、看護師や介護福祉士の声が聞こえてきたなどは、その'つらさ'として挙げられており、私たちスタッフは、決してこのような振る舞いを行ってはならない。亡くなった施設高齢者と家族で過ごす時間があるというのも、強く望まれる。

　臨終ケアの最も大切なのは、'苦痛の緩和'にまず努めることは、既に述べた。非薬物療法を主に導入し、薬物療法では特に症状緩和に必要時以外は、使用しないのが原則である。酸素投与も然りである。苦痛らしい振る舞いを気にかけ、死亡直前期兆候（臨死期）に対しては、意識も朦朧としているか、無いかの状態で、本人には、苦痛を感じてないことを家族に言葉で伝えて安心感と信

頼感を得る。終末・臨終期の観察項目の一例として、参考のため表4-2に提示した。

●表4-2　臨終期の徴候

全身状態	全身状態の悪化		身体機能の低下、寝たきり状態、多臓器不全
	意識状態 認知機能・ 情動状態	情動の変化 意識障害（混濁） 認知機能の低下	落ち着きのなさ、身の置き所のなさ、精神状態の悪化 反応が徐々に鈍くなる、呼びかけると反応する、ぼんやりしている 傾眠状態 幻覚（幻視・幻聴）
		昏睡	意識レベルの低下、意識がなく刺激に対してまったく反応がない
	血圧	血圧低下	徐々に下降する、計測不可、収縮期80mmHg以下
	脈拍	不整脈 結代 除脈	脈のリズムが不規則で乱れている 脈がとぎれる 脈拍が1分間に50〜60以下
	体温	高熱 体温低下	顔色不良、顔面紅潮、38℃以上の発熱、悪寒戦慄（体が震える） 四肢末梢が冷たくなる、体温が上がらない
	呼吸	努力呼吸 口呼吸	呼吸困難に伴い口をあけて努力呼吸
		努力呼吸 鼻翼呼吸	小鼻だけがピクピクする呼吸
		努力呼吸 下顎呼吸	あごだけが動いている状態
		努力呼吸 チェーンストークス呼吸	無呼吸 → 徐々に速くかつ深い呼吸 → 再び弱まる → 無呼吸の繰り返し 周期は10秒〜1分30秒
		喘鳴	ゼイゼイ（広範な気管支の分泌物）という音を伴う呼吸 ヒューヒュー（咽頭の狭窄）という音を伴う呼吸
	皮膚状態	顔面蒼白	鼻の蒼白、顔色が青白く、土気色
		色調の変化 チアノーゼ 四肢冷感	口唇・手爪に出現、網状の皮膚
	反射状態	瞳孔反射の消失	瞳孔の縮小、散大が鈍い、または消失
		睫毛反射の消失	睫毛（まつげ）に触っても反応がない
		痛覚反射の消失	痛みの刺激に対しても顔をしかめたり、手足を縮めたりの反応がない
栄養	経口摂取	食事・水分の摂取の 進行的低下・不能	ごく少量の水分しか口に出来ない錠剤内服が出来ない 嚥下障害（誤嚥性肺炎）
排泄	排尿の異常	乏尿	尿量が少ない
		無尿	排尿がまったくない

（三菱総合研究所〔編〕2007「特別養護老人ホームにおける看取り介護ケアガイドライン」）（著者一部改変）

　さらに、施設入居者の臨終・臨死期における精神・身体的変化の観察アセスメント項目として表4-3に纏めてある。これらの所見は、日単位で身体的な苦痛症状の悪化、意識レベルの低下、ADLの低下などがみられる。時間単位でなされる意識レベルの低下、自然喘鳴から下顎呼吸、末梢のチアノーゼ、脈拍の触知不可などがみられる。そして、亡くなる直前（臨死期）にあらわれる身体所見として、死前喘鳴、下顎呼吸、進行する四肢チアノーゼ、そして橈骨動脈の脈拍が触知できなくなる。

●表4-3　臨終・臨死期における身体的変化のアセスメント項目

「日単位」では（要約） 身体的苦痛症状の悪化 意識レベルの低下 ADLの低下 などがみられる	「時間単位」では（要約） 意識レベルの低下 死前喘鳴、下顎呼吸 末梢のチアノーゼ 脈拍の触知不可などがみられる
日単位 　意識レベルが低下する（意識障害・傾眠傾向） 　発語が減る 　経口摂取が困難になる 　口腔内乾燥が持続する 　尿量が減り、褐色尿になる 　全身倦怠感が持続する 　疼痛や呼吸困難感が増強する 　トイレへの移動が困難になる 　自力で座位や寝返りができなくなる 　手の平の黒色斑が出現する場合がある	時間単位 　意識レベルが低下する（昏睡状態、興奮、せん妄） 　嚥下機能が低下し、咽頭に分泌物が貯留しやすく、自己喀出できなくなる 　睫毛・対光・角膜反射が低下する 　脈拍の緊張が弱くなる 　血圧が低下する（測定不能になる） 　末梢冷感、チアノーゼが出現する 　呼吸が浅く、不規則になる 　死前喘鳴がみられる 　便失禁がみられる 　乏尿・無尿となる 　ヒポクラテス顔貌（眼球陥没、目瞼下垂、鼻尖鋭峻）になる

（著者作成）

　上記の症状は勿論、それ以外に施設で多く看取る認知症、老衰などでは、死が差し迫っているとの判断の根拠になる症状がある。進行する全身的衰弱、繰り返す発熱、そして全身的倦怠感、悪液質、極度の食欲不振、褥瘡の悪化などが多く、循環器・呼吸器・腎臓不全の増悪、水分、栄養経口摂取もほとんど不能ちかくなるか、不能になる。

　ついには、予後が1週間前後と予測されると、寝たきり状態で半昏睡、意識低下、ごく少量の水分しか口にできないか、少し水を含んだ口腔ケア用のスポンジスワブで口腔内をただ湿潤するぐらいになる。勿論、食事（嚥下食）、薬剤の内服もできなく、亡くなることが相当な確率となり、その準備をする。表4-4に、死亡直前（臨死期）に観察される身体所見を経時的に示した。

●表4-4　亡くなる直前…臨死期の経時的に観察される一般的身体所見

徴候	特徴	死亡前に徴候が現れた時間 平均／中央値（標準偏差）
死前喘鳴	咽頭部でごろごろと音を立てながら呼吸すること。吸引しても痰や唾液が多くひけるとは限らず、かえって吸引が患者の苦痛を高める（頻度40％）	57 / 23 時間前
下顎呼吸	呼吸と共に、下顎が動く呼吸の仕方。聴診では胸部から呼吸音がほとんど聴取されないことが多い。（頻度95％）	7.6 / 2.5 時間前
四肢のチアノーゼ	四肢末端から、循環不全を示す色調の変化が見られること。（頻度80％）	5.1 / 1.0 時間前
橈骨動脈の脈拍が触知できない	循環不全の結果、血圧が低下し、手関節部での脈を触知できなくなること。このような時でも頸部や鼠径部の脈拍を触知できることもある。（頻度100％）	2.6 / 1.0 時間前

[Morita, T., Ichiki, T., Tsunoda, J., et al. : A prospective study on the dying process in terminally ill cancer patients., Am J Hosp Palliat Care, 15（4）: 217-222, 1998. 著者一部 改変]

　さらに、最後1週間前のころから亡くなるまでの自然な過程を、一般の方々に知っていただくためにわかりやすくパンレット（図4-1参照）にした資料があるので、参考にするとよい。

2. 生命予後の予測

　つぎに、予後判定にはいろいろな基準が報告されている。その判断基準にPalliative Prognosis Score、すなわちPPSスコア[1, 7]（表4-5参照）があり、長期的な予後（月単位）に属するので、それに利用されるカルノフスキー・パフォーマンスケール（Karnofsky Performance Scale）（KPS）[1, 7-9]（表4-6参照）、さらにパリアッティブ・プログノスティックス・インデックス）（PPI）[1, 6]（短期的で週単位）で予測し、その判断基準を表4-7に記載した。

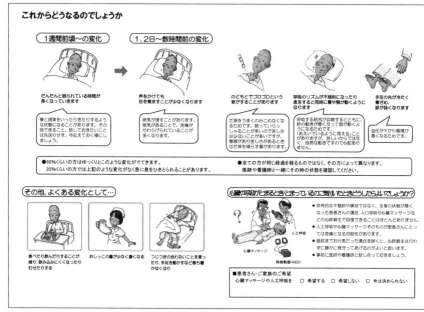

（木澤義之，他（編）『3ステップ実践緩和ケア』青海社．2013〈web付録〉）

●図4-1　亡くなる自然な課程を説明したパンフレット

●表4-5　生命予後の予測

（生命予後の予測は患者の意向を反映した治療を選択するうえで　重要）

Ⅰ）Palliative Prognostic Score

計算方法
○臨床的な予後の予測、Karnofsky Performance Scale、食欲不振、呼吸困難、白血球数（／mm㎥）、リンパ球（％）の該当得点を合計する。

解釈

得点	30日生存確率	生存期間の95%信頼区間
0 〜 5.5 点	> 70%	67 〜 87 日
5.6 〜 11 点	30 〜 70%	28 〜 39 日
11.1 〜 17.5 点	< 30%	11 〜 18 日

特徴
○「臨床的な予後の予測」が得点の多くを占めるため客観性は小さいが、予測制度が高い。

Palliative Prognostic Score の計算式

		スコア得点
臨床的な予後の予測	1～2週	8.5
	3～4週	6
	5～6週	4.5
	7～10週	2.5
	11～12週	2
	＞12週	0
Karnofsky Performance Scale	10～20	2.5
	≧30	0
食欲不振	あり	1.5
	なし	0
呼吸困難	あり	1
	なし	0
白血球数（／mm²）	＞11000	1.5
	8501～11000	0.5
	≦8500	0
リンパ球（%）	0～11.9	2.5
	12～19.9	1
	≧20	0
	合計点（　　　）	

（Drowing M. et al. J Palliative Care. 2017; 23(4): 245-252; 森田達也, 他（著）2015『死亡直前と看取りのエビデンス』医学書院）

●表4-6　改変Karnofsky Performance Scale

%	起居	活動と症状	ADL	経口摂取	意識レベル
100	100％起居している	正常の活動が可能 症状なし	自立	正常	清明
90		正常の活動が可能		正常または減少	
80		いくらかの症状があるが、努力すれば正常の活動が可能			
70	ほとんど居している	何らかの症状があり通常の仕事や業務が困難			
60		明らかな症状があり趣味や家事を行うことが困難	時に介助		清明または混乱
50	ほとんど座位か横たわっている	著明な症状がありどんな仕事もすることが困難	しばしば介助		
40	ほとんど臥床		ほとんど介助		清明または混乱または傾眠
30	常に臥床		全介助	減少	
20				数口以下	
10				マウスケアのみ	傾眠または昏睡

（Shag cc, et al. J Clin Oncology, 1984; 2: 187-193 & 聖隷三方原病院　症状ガイドライン）

●表4-7　生命予後の予測

Ⅱ）PPI（Palliative Prognostic Index）短期的な予後（週単位）の予測

Palliative Performance Scale (PPS)	10 ～ 20	4.0
	30 ～ 50	2.5
	60 以上	0
経口摂取量 *	著明に減少（数口以下）	2.5
	中程度現象（減少しているが数口よりは多い）	1.0
	正常	0
浮腫	あり	1.0
	なし	0
安静時呼吸困難	あり	3.5
	なし	0
せん妄	あり（原因が薬物単独のものは含めない）	4.0
	なし	0

（* 消化器閉塞のための高カロリー輸液を施行している場合は0とする）合計点（　　　　）

予後予測

合計点	予測される予後
6.5 点以上	21 日以下（週単位）の可能性が高い
3.5 点以下	42 日以上（月単位）の可能性が高い

（森田達也，他（著）2015「死亡直前と看取りのエビデンス」医学書院）

　生命予後の予測についてまとめると、まず、本人の意向を反映した治療を選択するうえで重要であり、施設ケア提供者は入居者の生命を実際より長く予想する傾向がある。パリアティブ・プログノスチック・インデックス（Palliative Prognostic Index）（PPI）を用いることで、長期予後の予測精度は低いが、3週間生存の予測は、その客観性で概ね目安となると言われている。しかし、これら臨床的な予後の予測指標は、がんホスピス施設、緩和病棟などの観察研究から得られたもので、老衰、認知症の多い高齢者介護施設では、亡くなっていく状態、その環境も相当異なるので、限界も大きい。著者の経験では、一般的にはKPS（10～20％）が簡単で、また実践的であり、高齢者の予後予測に役に立つ。

3. コンセンサス・ベースド・アプローチと看取りの要素[1-3]

（1）施設コンセンサス・ベースド・アプローチの実際

　意思決定に参加する人をまず決定する。死に逝く介護施設高齢者が、どのような経過でこのような病に至ったかを家族に説明をする義務がある。今後、死に逝く方の病がどのように推移するかという見込みも同時に伝えなければならない。そして、この施設高齢者のQOLと尊厳について、ケアスタッフは代弁をしなければならない。最も大事なのは本人が幸せなのかを、考えることである。最期に、データと経験に基づいたガイドライン[2,3]に沿って、適時に家族ばかりでなく、ケアをしている同僚、他の職種に情報を提供することが必要である。延命治療についてのエビデンスの説明をし、もし胃ろう増設を希望されると、その平均一年生存は40から60％ほどであるが、これらのデータはあくまでも平均であって個別のケースでは実施してみないと、わからないことを伝えておくのも良い。また、著者の経験からも言えることであるが、増設後、時にその増設胃ろうチューブから胃内容物の漏れや、それによる胃ろうチューブ増設周囲の糜爛、潰瘍などの難治性慢性炎症、使用中の身体の拘束、さらに誤嚥性肺炎などの合併症のあることもあり、この胃ろうからの栄養投与による限定された延命効果はあるが、生活の質からみても必ずしも望まれる状態ではないことも伝え、通常は必要としないことを一応伝えておくことが必要である。以上、可能なすべてのケアの意思決定ステップは、本人も含めて、ケアされる側とケア提供側とは、合意していなければならない。したがって、満足して判断できる情報の提供が求められる。

（2）看取りの要素〜面談とカウンセリング、そして介護・医療倫理の重要性

　表4-8に示したように、まず医学的知識、緩和ケアに関する医学的知識が十分であるかどうか、面接の仕方、カウンセリングの技術としてよく耳を傾けること、事実を伝えること、悪い知らせも伝えること、仮定として死に逝くことを話すことなどにくわえて、カウンセリング（共感と優しさを持って接し、よく傾聴して、共に悩みを共有し考え、ベストの結果を導く）が含まれなければならない。つぎに、チームケアアプローチであり、多職種によるEOL（End of Life）を理解することである。介護福祉士、看護スタッフ、医師、歯科医、MSW（メディカルソーシャルサービスワーカー）、管理栄養士、リハビリセラピスト（療法士）[PT（理学療法士）、OT（作業療法士）、ST（言語療法士）]、薬剤師、歯科医、歯科衛

●表4-8　施設での看取りの要素

1) 医学的知識	緩和・終末期ケア ・心理的ストレスの評価と治療 ・疼痛とその他の症状の薬物を用いる、用いないで提供するケアと治療、など
2) 面接の仕方／ カウンセリングの技術	・よく耳を傾けること／・事実を伝えること／・悪い知らせも伝えること・思いやり、共感、優しさが伝わる言動 ・過程として死にゆくことを話し合うこと、など
3) チームアプローチ	・Multidisciplinary（多職種）による終末期ケアを理解すると─医師、看護スタッフ、介護福祉士、ソーシャルワーカー、薬剤師、入居者本人の家族によるチームケア ・プロとしての責任を満たすようにチームのメンバーの能力を高めること、など
4) 症状と疼痛のコントロールの評価とマネジメント	・コミュニケーションの技術／・より快適な状態を与える ・弱麻薬、セデーション、その他の鎮痛薬の併用（例えばカロナール、トラマール）を含む ・呼吸困難、不安のコントロール、など
5) プロフェッショナリズム	・無私・利他主義に徹すること／・あきらめないこと／・同僚への尊敬、敬意 ・守秘義務の遂行／・入居者の意思を尊敬すること／・信頼性
6) 人間性の質	・統合性／・尊敬／・入居者の疼痛緩和の要求に対する感受性／・死んで逝く人に寄り添う／・思いやり／・共感／・優しさ、など
7) 医学倫理	・ACP ・リビングウィル／・無益な医療を行わないこと／・DNRオーダー ・栄養、水分補給の判断／・キーパーソンによる意思決定 ・治療内容の興味に対する葛藤／・医師による自殺幇助、など

（三菱総合研究所〈編〉2007「特別養護老人ホームにおける看取り介護ケアガイドライン」）（著者一部改変）

　生士などからなる職種と、施設入居者本人・その家族による頻回のアドバンス・ケア・プランニング（ACP）（第11章参照）をすることによるチームケアである。プロフェッショナルとしての責任を満たすようにチームのメンバーの能力を高めることが求められる。

　つぎに、症状と疼痛のコントロールの評価とマネジメントができるコミュニケーションの技術、より安全性、快適のある情報を与える。必要に応じて弱麻薬、その他の非麻薬鎮痛剤、セデーション（鎮静）剤などの投与や、呼吸困難、不安のコントロールの対策も含む。つねに、プロフェッショナリズムを遂行しなければならない。利他主義に徹し、あきらめないこと、同僚への尊敬、守秘義務の遂行、死にいく施設高齢者の意志を尊敬すること、そして信頼性を獲得することである。

　さらに、人間性の質が問われる。統合性、尊敬、死にいく施設高齢者の疼痛緩和の要求に関する感受性を持ち、同情、優しさ、思いやりが自然ににじみ出るような接し方、コミュニケーションの中に感じられるような温かい優しいケアが必要になる。

　最後に介護・医療倫理を、最後まで貫く必要がある。これは、リビングウィル（LW）とか、アドバンス・ダイレクティブ（AD）、そしてアドバンス・ケア・プランニング（ACP）を、チームで共有、シェア（情報共有も含めて）をして、ゴールに向けてのいろいろ'納得するケア'について、話し合うことである。無益な医療を行わないこと、DNR（心肺蘇生）オーダーも医師が、本人と家族（キーパーソンを含めて）への説明、そして同意を得ることは必須である。栄養、水分補給の判断が、本人でできない場合は、本人の代理人による意思決定が可能にならなければならない。

　治療内容の興味に対する葛藤については、アドバンス・ケア・プランニング（ACP）の中での話し合いがよく、その葛藤はできるだけ緩和させることに、共有して同意するよう説明しなければならない。もしくは、その話を聞いて、私たちスタッフが考えるケアの方法の違いの矯正に取り組まなければならない。

【引用文献】
1. 森田達也, 白土明美（著）2015「死亡直前と看取りのエビデンス」医学書院.
2. NICE guideline 「Care for dying adults in the best days of life.: summary of NICE guidance」BMJ 351: h6631, 2015.
3. 三菱総合研究所（編）2007「特別養護老人ホームにおける看取り介護ガイドライン」
(https://www.mri.co.jp/project_related/..../HLUkouseih18_3.pdf)
4. Benedetti FD, et al.：International palliative care experts' view on phenomena indicating the last hours and days of life. Support Care Cancer 21: 1509-1517, 2013.（死亡前一週間の現象の同定）
5. Hui D, et al.: Clinical Signs of Impending Death in Cancer Patients. Oncologist 19: 681-687, 2014.（3日以内の死亡を予測する早期兆候）
6. Morita T, et al.：The palliative prognostic index: a scoring systems for survival prediction of terminally ill cancer patients. Support Care Cancer 7:128-133, 1999.
7. Drowning M, et al.: Meta-analysis of survival prediction with Palliative Performance Scale. J Palliat Care 23 (4):245-252, 2017.
8. Crooks V, et al.: The use of the Karnofsky Performance Scale in determining outcomes and risk in geriatric outpatients. J Gerontol 46；M139-M144、1991.
9. Shag CC, et al.: Karnofsky performance status revisited: reliability, validity, and guidelines. J Clin Oncology 2:187-193, 1984.

第 **5** 章

高齢者介護施設で '生きて死ぬこと'、そして'老いて逝くこと'

1. 絵画にみる'老いて逝くこと'

　まず、ポール・ゴーギャン（1848年～1903年）の絵を紹介しよう。このタイトルは、'われわれはどこから来たのか、われわれは何者か、われわれはどこへ行くのか'（D'ou Venons-Nous?, Que Sommes-Nous?, Qu Allons-Nous?）（図5-1参照）である[1]。1897年から1898年に描かれた。タヒチ島の生活を舞台に右側から左側に新生児から成長していく少年とアダム・イヴを彷彿させる真ん中の青年の実像、それから左へ段々と老化していく。そのバックに自然があり、当時のタヒチにおける土着宗教の神を入れて、人の一生のパターンが描かれている。自然と生きとし生けるものとの絆、人の絆〜家族と仲間の絆、老いて死を待つ人などが描かれている。この絵は彼が亡くなる5〜6年前に描かれた絵で、彼の死生観というのが伝わってくるように感じる。

●図5-1 「われわれはどこから来たのか　われわれは何者か　われわれはどこへ行くのか」（1897-1898）ポール・ゴーギャン（1848-1903）Eugène Henri Paul Gauguin

　つぎに、日本の国宝である'紅白梅図屏風'（図5-2参照）がある[2, 3]。18世紀の江戸時代の尾形光琳（1658年～1716年）の晩年に描かれた琳派芸術の最高傑作といわれている。非常にインパクトのある絵であり、バックの金地の面と

●図5-2 （紅白梅図屏風（http://www.amazon.co.jp）
「紅白梅図屏風」尾形光琳　国宝　MAO美術館蔵.）

水流の青い暗さ、左側の老熟した白い花の咲く梅の木と右側の紅梅の若い木の
生き生きとした動き、そして真ん中を流れる大小の渦巻きをもって右の上から
段々と左へ移っていく川の流れ、これが人間の生老病死の流れと見なすことが
できる。写実的に描かれた梅老木ならびに若木に、対照的に川の流れは図案化
されて渦巻き状のそれぞれが人生の浮き沈みを表しているように覚える。'対
照的'ではあるが、一方'非対照的'でもあり、その中にある左の老熟した白梅
のV字型の枝とまた川がそのV字型と接する、同じように湾曲があるV字型を
している。その微妙さと安定性があり、しかも繊細なタッチ技法など、対照の
中に非対照を秘めた素晴らしい人生のサイクルをよく表している。しかし、光
琳自身が、このようなコンセプトで描いたかはわからない。これらの2つの絵
画は、それぞれ異なる環境の中で生まれ育った私たち人間の、避けることので
きない'生きて老いて死ぬ'というイベントを、異なる表現法で描写しているこ
とに惹かれる。2画面のそこには芸術的品格、自然との調和と融合を見る。一
見、雄大な畏敬の念を抱かせるゆっくりと時が流れいく自然のながれのなかで
人は、生まれ、老いて、死んで逝く。そのサイクルとともに生きて、消滅する
最期のプロセスを誰もが経験するが、それを語ったものはいない。

　私は、どのような死に方をするのであろうか。不自由な体となり、病床につ
いて痛みと死の恐怖に耐えながら、私はどんなに見苦しく死んでいくのだろう
か。私の死を誰が見守るのであろうか。孤独のなかで捨て去られるのであろ

うか。人間にとって他人の死は自分の死とは全く異なっているがゆえに、他人の死を見て感じる恐怖と全くの異質感をどう対処したらよいのだろうか。

ノーベル生理学医学賞受賞者のメチニコフ（1845～1916年）は、約100年前に、次のように語っている。

「私の親しい友人の一人はすでに長年、死に対して心を整え、全く平静に死に対面していた。彼は自分の仕事をできるだけやり遂げたと信じていたので、自分の生涯をおえさせることこそ完全に自然の事であろうと考えた。それだから理性と意志という点からすれば'死の恐怖'などというものは、あるはずがなかった。ところが致命的になりうる病気になって、その症状が体に現れたとき、彼は全く異なる感情、つまり本能的な死の恐怖を経験した」と。

確かに死の恐怖を乗り越えることは有史以来、私たちホモ・サピエンスにとっては、重大な、最も中核となるテーマであった。宗教もこの域を出ない。フランソワ・ド・ラ・ロシュフコー（フランスの貴族、モラリスト、文学者；1613年～1680年）は、「太陽と死は直視することができない」、と言ったし、フランスの「分類できない哲学者」と言われたウラジミール・ジャン・ケレヴィッチ（1903年～1985年）は、「一人称の死は体験できない。恐怖や戦慄を緩和する手段はない。死に対しての準備は不可能である」と述べてもいる。果たして、それは本当なのであろうか。

2. 看取りの流れ～死にいく精神・行動的変化と成長、そして死への段階的パス

まず、施設入居者が介護施設に入居する前は、疾患のある場合は初期の積極的治療から同時に支持的なケアが、医療機関で同時に提供される。そして経過とともに、段々と支持的ケアが主体となり、入居後緩和ケアに移行していき終末期、そして臨終・臨死期のケアがそれに続く。死後のケアは、遺族への'グリーフケア'として経時的に、私たちはフォローすることになる（図5-3）。現在の施設での死の迎え方は、まず、個人の権利として自己決定する能力を保障することでリビングウィル（LW）、アドバンス・ディレクティブ（AD）、アドバンス・ケア・プランニング（ACP）（第11章参照）、さらにポリスト（POLST）（医師による終末期ケア処置）（後の章で述べる）というような、計画的に死を迎えるように緩和・終末期ケアが始まる。この頃から、経時的に本人ならびに家族に

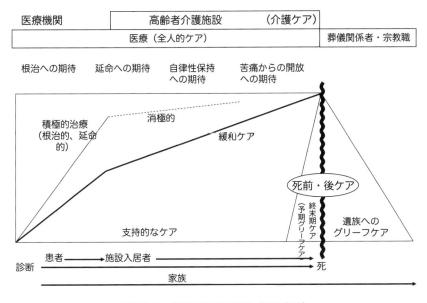

●図5-3　施設高齢者の経過（著者作成）

このことを提示し、共に考えその本人にとって一番良い方法の話し合いで、そのつど決めていくことになる。それで私たちの望みは、'尊厳死'であり、可能ならば自然死（老衰）でありたいが、できるだけこれに近い介護・医療ケアが導入され全ての症状を緩和し、延命効果はできるだけ避け、自然に死に至るという方向が理解され、良い死にかたと考える。死ぬ場所は第1章図1-3に示したように自宅であり、有料老人ホームを含めての各施設、そして医療機関としての急性期病院、慢性期病院、中間施設などがある。これからは、病院死が少し減少し、施設死と自宅死が増加傾向と予測される。高齢者介護施設、特に介護老人福祉施設における一般的な看取り介護の流れは、全国老人福祉施設協議会（平成27年）が提案しているような方向で、入居時から看取りまで流れるのが普通になってきた（図5-4参照）。

　緩和ケアから終末・臨終期ケアへと移行する流れであるが、まず施設入居時から適応期、安定期、不安定・低下期、看取り期、そしてその後のケア（グリーフケア）という流れとなる。まさにネンネンコロリの流れは、施設入居時の適応期から緩和期、そして終末・臨終期へと移っていく。施設ごとに看取り委員

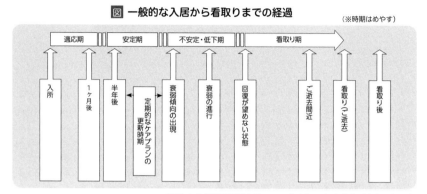

図　一般的な入居から看取りまでの経過

（※時期はめやす）

| 適応期 | 安定期 | 不安定・低下期 | 看取り期 |

入所　1ヶ月後　半年後　定期的なケアプランの更新時期　衰弱傾向の出現　衰弱の進行　回復が望めない状態　ご逝去間近　看取り（ご逝去）　看取り後

（看取り介護指針説明支援ツール「平成27年介護報酬改定対応版」）

●図5-4　看取り介護の流れ―入居から看取り後まで―

会があり、この看取りの経過を本人（可能ならば）、家族を入れた多職種ケアチームで話し合い、最期までお互いに納得した満足度をもって看取ることになる。家族面談も頻回に危篤臨終時まで施行し、それぞれのお互いのコミュニケーションが十分に理解されていることが大切である。そして、アドバンス・ケア・プランニング（ACP）（具体的に後述第11章参照）も早期から導入し、おのおの職務間での情報確認が共有される。それと同時に、各ステージにおいて報告書の作成と必要時には修正をする。終末期ケアの計画書の作成は、各必要時に行い、修正して新しく改訂する必要がある。ケア・カンファレンスも数回行うごとにケアプランの作成、修正が行われる。終末期実施から臨終期までは、しばしば評価見直しをしつつ、家族（特にキーパーソン代理人）との話し合いでお互い相互の理解が求められ、それによって双方に満足できるような死亡前、死亡時ならびに死亡後の家族（遺族）のケアが提供される。

　さて、ここにキューブラー・ロス（1926年〜2004年）の5段階の死に至る認知症のない患者の精神構造的な変化を紹介しなければならない。日本でも1969年に原著「On Death and Dying」『死ぬ瞬間 死にゆく人々との対話』（川口正吉・訳）[4]、さらに1999年『続死ぬ瞬間。死それは成長の最終段階』（鈴木晶・訳）[5] として翻訳され出版されている。心と行動の全ての経時的変化が、この各段階を通るとは限らず、それをスキップする場合もある。いろいろ人によってこの死に至るプロセスは変わるとしても、ほぼこの方向に進行していくのが

最も多いことを、私たちは経験する。難治、不治の病と宣告された場合は、まずは第1ステージ'否認・ショック'から孤独感、葛藤、罪悪感等々を感じつつ、第2ステージ'怒り'、精神的葛藤から感情的となり怒りを覚え、それから第3ステージの'取り引き'、何らかの絶対的者との話し合いで、死に至るプロセスをできるだけ延期を願ったり、またそれが改善、治癒していくように何らかの代償を提供して、現在のストレスを逃避する。本人の心を安らげようと反応する。しかしその後、現実が少しずつ悪化していくことを経験することによって第4ステージ'うつ状態'に陥る。自分という者を意識し他人とだんだん接触するようになり、死ぬことを納得し、'受容'へと行く。後程キューブラー・ロスは、この時点で、'期待と希望'をもって超越していく'死に至る成長'（死の成長）を加えている[5]。これが'6段階の最後のステージ'である。後述するが高齢介護施設、特に85歳以上で要介護度3以上の脆弱者の多い介護老人福祉施設では、このような段階を経ずに、自然と受容へ移行していく。認知症の入居者も、入居後段々と認知障害が進行して、遂には人格消失になって、この経時的変化の早期の段階から脱落して全く忘却していき、ついに死に至る。それまで医療の中で疎かにされがちだった死にゆく人々を正面から捉えたことに、キューブラー・ロスの研究意義があるが、あくまでも超高齢者、勿論認知症に罹患している者では、一致しない。

3. 高齢者が生きて死ぬことの意義～本人の望む最期

　本人が望む最期を迎えるための終末期ケアは、治療を目的とせず、死を目前にした人のQOL（Quality of Life）の向上をめざすケアで、残された時間を充実したものにするコンセプトが、1960年代にイギリスのホスピス（がんなどの末期患者向けの医療施設）から欧米に広がった。日本では、1980年代以降、緩和ケアの発想を通して、欧米の影響もあり、少しずつ終末期ケアが充実され、現代では一般に知られるようになった。

　施設での終末期ケアとは、病気で余命わずかのひとをはじめ、認知症や老衰の人たちが人生の残り時間を自分らしく過ごし、満足して最期を迎えるようにすることが目的となる。つまり、治療による延命よりも、病気の症状などによる苦痛や不快感を緩和し、精神的な平穏や平静の残された生活の充実を優先さ

せるケアとなる。

　これに対して、医療機関での緩和ケアでは、早期からがん、非がん患者らの苦痛を緩和してQOLの改善を図りつつ、治療も並行して進める前段階であるが、終末期ケアには治療よりも残された生活を心穏やかに過ごしてもらうように努める。いずれにしろ、終末期ケアには相違がない。ただ、施設では、超高齢者が主体となっている。

　施設終末期ケアを開始する時期であるが、通常その進行した老化に随伴する基礎疾患のケアを行うかどうかは、施設入居者本人や家族の意思に任されている。しかし、終末期ケアを始めるということは延命をあきらめることと、ほぼ同じであるため、開始の決断はとても大切となる。がんなどの病気の場合には、症状から予測される余命や治療の効果が期待できるかどうかなどを考慮して、タイミングを決断することになる。既述したが、施設では、経時的に認知症や老衰の進行により、だんだんと意識障害をともなう傾眠状態となり、寝たきりになり、介助はあっても食事がほんの少量の摂取か、それすらできなくなる。水分も僅少か、飲めなくなった時が一般的に終末後期・臨終期の開始時期と考えるのが普通である。

　本人の意思で開始を決断できるのが理想的であるが、特に認知症の場合、意思確認が難しくなっていることが普通である。その場合は、家族の代理者（キーパーソン）がその本人の代理として、多職ケア提供者との話し合いで、お互いが現実の情報を共有しあって判断をする。すなわち、アドバンス・ケア・プランニング（ACP）が、ここでも重要になる。

　終末期ケアは、下記のごとく主に身体的ケア、精神的ケア、社会的ケアの3つに分けられるが、精神的ケアと、社会的ケアは家族や友人の役割が大切となる。

（1）ケアの内容

1）身体的ケア

　薬物的、非薬物的療法については、既述並びに後述しているので、省略する。

2）精神的ケア

　ベッドの周囲にできるだけ普段と変わらない環境を作り、リラックスできるようにする。好きな音楽をかけたり、大切にしているもの、思い出の品などを

身近に置いたりして、本人にとって満足感のある空間にすることが求められる。また高齢者施設では、死に対する不安や心残りがあることは普通ないが、家族や友人と過ごす時間を十分に作ることも大切である。そのためには、死をタブーとせず、寄り添うケアが必要となる。たとえ、近く本人が、一人で死に臨むような孤独を感じない場合でも、家族や友人が最後まで付き添うことは、悔いを残さず、悲しくとも、こころ満ちた最後の見送りとして、大切な役割となる。そして、亡くなった後のグリーフも少ない。

3) 社会的ケア

　施設介護による経済的負担が、家族、居住者本人のプレッシャーになることもあるが、医療機関と違ってその負担にはケアの上限があり、一般的に施設死は、認知症、老衰死が普通で延命処置も優先されず、医療よりも介護中心となり経済的負担も少ない。

　認知症がない限り、家族に迷惑をかけているという思いに苦しむ入居者は、多い。心苦しいと同時に、不安感や孤独感となって襲いかかることもある。自分なんか早く亡くなってしまったほうがよい、といったうつ的マイナス思考に陥らないように、ケア提供者はしっかりと本人と家族とのコミュニケーションが必要である。

(2) 終末期における施設でのケアのメリットとポイント

　施設では、終末期ケアで残された時間を充実して過ごすことが肝心である。その達成のためにしっかりとシミュレーションをして無理のない決断をする必要がある。本人や家族は、入居前から施設や病院のメリットとデメリットを考慮して、最期を迎える場所を決めるのが良い。自宅や施設で容体が急変した際、病院へ搬送するのか、それとも看取る可能性を考えておく必要がある。本人の意思を、最大限尊重できるよう意思疎通ができなくなる前に十分に話し合っておくことが大切となる。

　最期は自宅で家族に見守られながら迎えたいと考える人が多いであろう。しかし、自宅で終末・臨終期ケアを行うには人手の確保や急変時の対応、介護者の体力や精神的なバックアップなどを解決しなければならないことがいくつかある。それに比べて、施設では多職種の介護のプロが面倒を見てくれるので、

日常生活（ADL）のケアに安心感がある。着替え、排泄、褥瘡予防も含めての
スキンケア、食事支援、廊下や階段の移動、その他在宅ケアで苦労しそうなこ
とも、介護される者はあまりストレスを感じることなく過ごすことができる。
また、医療ケアも必要時には、施設内医務室や地域の医療機関が介入する。

　したがって、家族は介護のために体力的、精神的に追い詰められることがな
い。介護のための体力的、精神的負担なく入居者本人と向かい合うことに集中
できる。施設介護福祉士、看護師、医師、ケアマネジャーや他の入居者ともコ
ミュニケーションをとる機会が多く、孤独感や社会との関係の喪失感も覚えに
くい環境である。

　一方、施設ケアのデメリットは、施設の場所が遠方とか、交通の不便のため
に面会の機会が限られている場合もある。生活する部屋やベッドの周囲など、
自宅ほどリラックスできる環境にセットするのが難しい。在宅ケアに比べる
と、自由度が低くなる。また、食事ができなくなった後、あるいは寝たきりに
なった後、どのくらいの期間で終末期が続くのか誰にもわからないため、不安
とともに経済的負担も強いられることがある。

　ここで既述したように、施設終末期ケアの特徴として、一般的に観察される
難治の病気により死を宣告された人の前述のキューブラー・ロスの5段階（否
認、怒り、取引、抑うつ、受容）の心理状態が、施設入居者に経験されることは
少ない。これは、80歳以上の認知症を含めた脆弱高齢者が圧倒的に多いから
である。したがって、普通よく見られる否認から抑うつまでの間には、自分だ
けがこのような難治の病にかかったことへの怒りや避けられない死への恐怖、
死への抵抗、不安などが言動となって現れることはない。そして、次の受容の
段階へも、そのままごく自然に移っていき、不安もなく最期を迎える。がんを
含めて難治性疾患をもつ前期高齢者、中年・若年者とは異なる。

　さらに、介護施設の終末期ケアでは、家族が精神的な面でのケアに集中でき
ることが最大のメリットであろう。以上の理由で、高齢者介護施設は、介護や
医療の両面から終末期ケアに最も適応した施設とならなければならない。

4. 死の質～良い死に方とは、そして満足して死ねる要素
（1）生きる権利と死ぬ権利について

　高齢者介護施設入居者のクオリティー・オブ・デス（死のケアの質）をとらえる枠組みとして、まず施設入居者の評価では、A. 終末ケアの質、B. 入居者の身体・精神的・社会的状態、C. 環境状況があり、そして家族の評価も双方（本人／家族とケア提供者）から必要となる。

　2015年、英国の雑誌エコノミストの調査機関が、緩和ケアや終末期医療の質や普及状況に基づく80カ国、地域の'死の質'ランキング（5年毎）を発表した[6]。The 2015 Quality of Death Index（QDI）である。これは、世界中の調査可能な国の緩和ケアのランキング付けということであり、5つのカテゴリー、①緩和ケアや医療を取り巻く環境、②人材、③ケアの受けやすさ、④ケアの質、⑤コミュニティの関与などによって調査された。2010年度に行った同調査では、日本は40カ国中23位と、トップ50%に入ることができなかった。しかし、2015年の調査では日本は80カ国中14位と、トップ20%に入った。ちなみに、トップ5位内はイギリス、オーストリア、ニュージーランド、アイルランド、そしてベルギーとなっている。

　これは、日本の第2期がん対策推進計画が、2012年から2016年までの5年間で総合的かつ計画的にがん対策を推進することを目的とした計画の推進によってランクアップしたと考えられる。その後も、第3期がん対策推進計画が策定され、平成19（2007）年度から引き継がれている[7]。

　一方、終末期ケアを受ける際にはソーシャルワーカーやケアマネジャー、地域のボランティアなどの自治体やコミュニティの助けが必要であるが、因みに、この2015年度のエコノミスト調査では、彼らによる積極的な緩和・終末ケアへの介入とコミュニティの関与も評価を受けている。その人材は16位であり、ケアの受けやすさは17位、ケアの質の高さは16位である。まだ、世界のトップレベルには遠い。

　その後、私たちの国は、緩和ケア医の増加ばかりでなく、かかりつけ医の緩和・終末ケアの臨床教育、多職種のエキスパートの育成と協働、一般市民の啓蒙活動、さらに、ほぼ欧米と同レベルのいろいろな麻薬性薬剤の導入もあり、この順位は、さらに上位に位置していると推定できる。しかし、高齢者施設では、この国を含めての国際的緩和・終末・臨終期ケアの質のランキング評価システムは、まだない。今後、必要とするであろう。

　次に、私たちの「死にゆく人の17の権利」について述べなければならない（The Rights of the Dying、David Kessler 1997）[8]。

　それらは、①生きている人間として扱われる権利、②希望する内容は変わっても、希望をもち続ける権利、③希望する内容は変わっても、希望を与えられる人の世話を受け続ける権利、④静かに尊敬をもって死ぬ権利、⑤独自のやり方で、死に対する気持ちを表現する権利、⑥自分の看護に関するあらゆる決定に参加する権利、⑦治療の目的が「治癒」から「苦痛緩和」に変わっても、引き続き医療を受ける権利、⑧すべての疑問に正直で十分な答えをえる権利、⑨必要なことを理解できる、思いやりのある、敏感な、知識のある人の介護を受ける権利、⑩精神性を追求する権利、⑪肉体の苦痛から開放される権利、⑫独自のやり方で、痛みに関する気持ちを表現する権利、⑬死の場面から除外されない子供の権利、⑭死の過程を知る権利、⑮死ぬ権利；静かに尊厳をもって死ぬ権利、⑯孤独のうちに死なない権利、そして、⑰死後、遺体の神聖さが尊重されることを期待する権利、等である。どうであろうか、これらは、いかに‘良い死’をもって逝くかであり、‘こころ満ちて美しく’最期を迎えるかに他ならないことがわかるであろう。

　一方、カーティスらは、2002年にQODDクオリティー・オブ・ダイイング・アンド・デス（Quality of Dying and Death）（死に逝く・死の質）の評価項目31（表5-1参照）、を公表している[9]。各項目について、「○○さんの死のこの側面について、あなたはどのように評価しますか」と尋ね、「悪かった」から「ほとんど完璧だった」まで10段階の評価を行うものである。すなわち、症状からの解放がまずは必要であり、一般的考察として身体的症状、尿失禁や閉閉、痛み、頭蓋内圧亢進のある入居者のミオクローヌス、けいれんの大発作、最期の日々における重度の息切れ、自然喘鳴、気道の感染、肺水腫、胃内容の逆流、死の間際の騒々しい頻回な呼吸、終末期の出来事としての急性で高度な喘鳴、薬剤以外の治療、薬剤による治療などを包括的に評価する必要がある。

　そして、‘死の質’をよりわかるには、対照となる‘生きる質’を知ることも大切である。私たち日本人にとって望ましいクオリティー・オブ・ライフ、‘生きる質’という調査[10]があり、表5-2に示したごとく、多くの日本人が共通して大切にしていることは、苦痛がない、望みの場所で過ごす、希望や楽しみが

●表5-1　QODD（Quality of Dying and Death）の測定項目

各項目について、「○○さん（患者）の死のこの側面についてあなたはどのように評価しますか」と尋ね、「悪かった」から「ほとんど完璧だった」まで10段階の評価をする。

1. 痛みのコントロールができた
2. 物事のコントロールができた
3. 自分で食べられた
4. 排泄のコントロールができた
5. 快適に呼吸ができた
6. したいことが出来るエネルギーがあった
7. 望むだけ子供と過ごす時間があった
8. 望むだけ友人や他の家族と過ごす時間があった
9. ひとりで過ごす時間があった
10. 愛する人と触れ合い抱き合うことができた
11. 愛する人にサヨナラが言えた
12. 必要であれば人生を終わらせる手段があった
13. 医師とその他の終末期ケアに対する希望について話し合うことができた
14. やすらかな死であった
15. 愛する人に関する心配事がなかった
16. 死を恐れなかった
17. 人生の意味や目的を見出していた
18. 尊厳をもって亡くなった
19. 笑いほほえんだ
20. 透析や人工呼吸器を使用することはなかった
21. 死亡場所（自宅、ホスピス、病院）が希望通りだった
22. 愛する人に見守られた、または見守られない死だった
23. 死亡時には目覚めていた、または眠っていた
24. 宗教家や霊的なアドバイザーの訪問があった
25. 宗教的な儀式があった
26. 医療費の援助があった
27. 葬式の準備をしていた
28. 配偶者やパートナーと過ごす時間があった（配偶者やパートナーはいない）
29. ペットと過ごす時間があった（ペットはいない）
30. 悪感情を解消した（解消すべき悪勘定はない）
31. 重要なイベントに参加した（重要なイベントはなかった）

(Curtis JR, et al. J Pain Symptom Manage 2002 ; 24(1): 17-31.)

●表5-2　日本人にとって望ましいクオリティオブライフとは

日本人が終末期に大切にしたいと考えていることを示す。（一般市民2548人および遺族513人の調査）。緩和ケアはこれからの「大切にしたいこと」を達成することを目的として行うことが重要である。

多くの日本人が共通して大切にしていること

○苦痛がない
・身体の苦痛がない
・穏やかな気持ちでいる
○望んだ場所で過ごす
・自分が望んだ場所で過ごす
○希望や楽しみがある
・希望をもって過ごす
・楽しみになることがある
・明るさを失わずに過ごす
○医師や看護師を信頼できる
・信頼できる医師がいる
・安心できる看護師がいる
・話し合って治療を決められる
○負担にならない
・家族の負担にならない
・人に迷惑をかけない
・お金の心配がない

○家族や友人と良い関係でいる
・家族や友人と一緒に過ごす
・家族や友人から支えられている
・家族や友人に気持ちを伝えられる
○自立している
・身の回りのことが自分でできる
・意識や思考がしっかりしている
・ものが食べられる
○落ち着いた環境で過ごす
・静かな環境で過ごす
・気兼ねしない環境で過ごす
○人として大切にされる
・「もの」や子ども扱いされない
・生き方や価値観が尊重される
・些細なことに煩わされない
○人生を全うしたと感じる
・振り返って人生を全うしたと思うことができる
・心残りがない
・家族が悔いを残さない

多くの日本人により重要さが異なるが大切にしていること

○できるだけの治療を受ける
・なれるだけの治療はしたと思える
・最後まで病気と闘う
・できるだけ長く生きる
○自然なかたちで過ごす
・自然なかたちで最後を迎える
・機械につながれない
○伝えたいことを伝えておける
・大切な人にお別れを言う
・会いたい人に会っておく
・感謝の気持ちがもてる
○先々のことを自分で決められる
・何が起こるかを知っておく
・残された時間を知っておく
・遺言などの準備をしておく

○病気や死を意識しない
・普段と同じように毎日を送れる
・よくないことは知らないでいる
・知らないうちに死が訪れる
○他人に弱った姿を見せない
・家族に弱った姿を見せない
・他人から同情を受けない
・容姿が今までと変わらない
○価値を感じられる
・生きていることに価値を感じる
・仕事や家族としての役割を果たす
・人の役に立っていると感じる
○信仰に支えられている
・信仰を持っている
・自分を超えた何かに守られているように感じる

(Miyashita M, et al. Ann Oncol 2007; 18: 1090-1097.)

ある、医師や看護師を信頼できる、負担にならない、家族や友人と良い関係である、自立している、落ち着いた環境で過ごす、静かな環境で、人として大切にされる、人生を全うしたと感じる事であろう。

　さらに、人によって重要さが異なるが、次の'生きていることの価値'についてである。それらは、できるだけの治療を受ける、最後まで病気と闘う、できるだけ長く生きる、自然な形で過ごす、伝えたいことを伝えておく、先々のことを自分で決められる、病気や死を意識しない、他人に弱った姿を見せない、仕事ばかりでなく家族としての役割を果たしている。さらに、人の役に立っていると感じる、信仰に支えられている、などである。ケア提供者はそれらをしっかりと理解して、それらに則したケアを提供して、できるだけ達成することに重きをおき支えることである。高齢者介護施設、とくに介護老人福祉施設では、大部分は超高齢で、85歳以上の要介護度の高い、しかも認知症入居者が圧倒的に多数を占めている。したがって、以上のような事項は適応できない場合が普通である。しかし、高齢者施設ケアをするスタッフはこれらの事項もよく理解して、個別的に日常の身体的・認知精神的能力を判断してケアをしなければならない。たとえば、ある入居者に少しでもADL（日常生活活動）が残存し、施設内の同居者の役に立つ仕事を手伝って貰うことも、その入居者には生きがいのひとつとなることもある。

（2）良い死について[8-12]

　良い死とは、極めて重要な課題と考える人は数多くいる。それらは、終末期に何が起こるか知らされること、痛みから完全に解放されていること、呼吸困難から完全に解放されていること、心の平静を保てること、家族の重荷にならないこと、誰かの役に立つこと、社会の重荷にならないこと、迷惑をかけないこと、人生を完結したと満足感を感じるなどが、死に逝く人に高頻度に観察される。多くの場合は80％以上、特に死に逝く人にとって重要と考える項目である。明らかに認知症を除いての調査である。

　ここに良い死12原則（BMJ Editorial 15th Jan, 2000）[11]があるので、参考のために以下に記載した。

　①いつ死に至るか知ることができ、予期していることの理解ができること、

②自分の死に際して、起こることがコントロールできること、③尊厳とプライバシーが与えられること、④疼痛緩和とそれ以外の症状がコントロールされていること、⑤どこで死を迎えるかを自分で選択できること、⑥必要な情報と専門的知識、技術にアクセスがあること、⑦必要ならどんなスピリチュアルな悩みと感情、動揺にもサポートがあること、⑧いかなる場所であってもホスピスケアが受けられること、⑨誰が終末期にともに寄り添うことができるか自分で決めること、⑩欲すれば望みは尊重され、確約される事前指示のチャンスがあること、⑪最後にお別れの時間があること、⑫最適の時に死ぬことが許され、意味のない延命処置がなされないことである。これらは、認知症の方々には、そのままこの項目が適用されるとは、もちろん考えられないが、この12の原則をケア提供者が理解してそれにできるだけ沿って認知症のある、なしに関係なく、ケアしていくことが大切である。

'良い死に方'とは、つぎのように理解できる。自分の選んだ場所で、覚悟のうえで、みんなに支えられながら、看取られながら死んでいくことであろう。満足して死ねる要素には、まず痛みを伴わないこと、可能な限り高い身体機能を保ちつつ、終末期を過ごすことであり、長期間続いていた対立関係は解決し、心のストレス、気にかかっていることなどの和解のチャンスが必要となる。次に、介護施設高齢者にも、ぜひ可能にしてあげたいことは、最終的な願望を叶えることである。施設ケアスタッフは、彼らの'この世に残していきたいこと'、'伝えたいこと'などを、何らかの形で次の世代に残していきたいものがあればと、願っている。そして、ケアについての決定を最後は家族に委ねるのが施設では通常であるので、人間の本来の基本的絆である家族が最終的に死にゆく愛しい人の看取りを満足して、最後まで共にケアをし、送り出すことが大切となる。

ヒポクラテス（紀元前460年前頃～紀元前370年ごろに実在したギリシャの医師で、医学の臨床観察を主核とした経験医学を発展させ、また'ヒポクラテスの誓い'として知られる医師の倫理性と客観性を説いた近代の医学の祖として尊敬されている）の時代でも、ヒポクラテスは言っている。'Life is a terminal illness.'（生きるということは最後の疾患である）と。興味ある表現である。それは、何も私たちはやることがないということではない。前述もしたごとく、キュア（治療）す

るのは時々であるが、もっと大切なのは、しばしばコンフォート（癒しと苦痛のないこと）を、与えるようにケアをすることである。また、800年前に然阿良忠上人は、'看病用心抄'[12] で、'死を前にした病人への接し方としてできる限り、良いことも悪いことも病人の思いに沿ってあげられるようにおつとめください'と記しているのも十分に理解でき、現在もその考えは受け継がれている（本章末の解説注1を参照）。

　以上を総括してみると、たとえ認知症があろうが、なかろうが、入居者一人ひとりに'寄り添ってケア'をしていくことが求められる。彼らの状態にしっかり目を向けること、その状態から彼らの気持ちを思いやること、その気持ちや思いに沿って'声かけ'を行い、タッチングによって気持ちに触れること、関わること、彼らの体験の内容に踏み込んで、共鳴的理解をして、安心感を引き出すこと、そして彼らの変化をしっかりと確認することである。

　さらに、良き死の条件、生きていく質の内容、緩和・終末期ケアの論理などを深く理解して下記の終末期の原則を死に逝く高齢者介護施設の入居者の一人ひとりに、最終美を飾る私たちのケアの真髄を見せて欲しい。

　「いずれにせよ高齢者の最終の美は、自然に任せた苦痛の無い最期であってほしい。呼吸苦がなく、浮腫もなく、平穏な美しいこころ満ちた死を迎えるように、私たちは準備し、それが達成できるようなケアに専心する必要がある。しかし、人によって最期の充実した満足感のある死への旅路の質の内容の重要さが異なることも、知っておかなければならない」

5. 美しく逝くための基本的コンセプト

　すでに述べたように、死が差し迫った時に見られる症状として、これまでの痛みの増悪、新たな痛みの出現、呼吸困難感の出現と増悪、不穏、混乱、せん妄、排尿困難、便秘、全身の身の置き所のない倦怠感、口渇などがある。これらが私たちのケアを阻む因子となる。したがって、私たち施設ケア提供者は、これらの症状の緩和をしなければならない。そして、心安らかに死を迎えるニア・デス（near death）状態ではできるだけ迅速に、できるだけ早く有効なケアが必要である。求める状態は、安静、安心、安楽、平安、自由、恍惚、静寂、平穏、傾眠などであらわされる。仏教でいう'諸行無常'、'諸法実相'、'無我'、そして

'空の心'になるような状態で過ごせることであろうか。しかし一般的には、傾眠、多幸感、上機嫌、薬剤陶酔感、ランナーズハイ（ランニングの爽快感、陶酔感）などすべて心安らかに気持ちの良い状態で死を迎えることもあるので、実際は個々別に限定されている。

　一方、ケア提供者も座禅、瞑想、マインドフル・ストレス軽減療法、マインドフルネス認知行動療法などのスピリチュアル、精神的方法で数々のストレスの処理で自己の安寧と平静のこころを持つことが必要となるであろう。

　誰しも安らかに一生を終えたいと望んでいる。死を安らかに迎えたい。死ぬということは、最後に残された私たち一人ひとりにとっての一大イベントとなる。よい良い死は、後に残るものへの最高の贈り物となる。生を終える事実は重く、深く、その姿は荘厳であり、私たちが最期に示すものは、死にいく姿である。必ずしも立派でインパクトのある納得できる死は望めないが、いかなる死に方もメッセージがあり、教えられることが多い。いつも生きる意味や目的について考えさせられる。

　死とは、成長の最終段階と捉えたい（Dying is the last stage of growth）。また、人間として尊重された'尊厳死'とは、苦痛のない尊厳（Dignity）をもつケアの質の高い良き死であろう。死の質（Quality of Death）とは、どういうものであろうか、もう一度考えてみよう。高齢者介護施設で働く私たち介護・医療従事者は、いかなる時でも、いかなる場所でも自然に人間的（humane）なケアを、いかなる相手であろうともその死にいく方のために提供されなければならない。これが、緩和・終末ケアの基本的姿勢である。

　彼らの死は、長い波乱万丈の人生を懸命に生き抜いてきた証である。大切な最後の実りの収穫でもある。死は、人生の終末ではなく、生涯の完成でもある（マルティン・ルター：Martin Luther,1483-1546：ドイツの神学者、聖職者）。彼ら一人ひとりの人間としての基本原理である'尊厳'がなければならなない。去りゆく本人が、安らかに苦痛なく平穏で、喜びと感謝に満ちた美しく最期を迎えていただくように、看取るご家族と施設スタッフ共に悔いのないように万全の看取りの準備とケアの実践が求められる。死の質（QOD）も、生きる質（QOL）とともに大切である。

【引用文献】
1. MUSEY編集部（編集情報）：「われわれはどこから来たのか。われわれは何者か。われわれはどこへ行くのか」画家：ポール・ゴーギャン，2017.（https://www.musey.net/5381）
2. 尾形光琳 「紅白梅図屏風」国宝 MAO美術館蔵.（http://www.amazon.co.jp/）
3. 尾形光琳が国宝「紅白梅図屏風」に込めた想いと仕掛けを解説（https://www.hobbytimes.jp/article/20160910b.html）
4. キューブラー・ロス（著），川口正吉（和訳），1971 『死ぬ瞬間』 読売新聞社.
5. キューブラー・ロス（著），鈴木晶（和訳），1999 『続 死ぬ瞬間．死、それは成長の最終段階』 読売新聞社.
6. The 2015Quality of Death Index（QDI）（eiuperspectives.economist.com/...）（2015年英国雑誌エコノミスト）
7. 厚生労働省（編）2007「がん対策推進基本計画、平成19年」.（https://www.mhlw.go.jp/stf/seisakuitsuite/…/0000183313.htm）
8. ケスラー デヴィッド（著）、推野淳（和訳）1997 『死にいく人の17の権利（The Rights of the Dying）』集英社.
9. Curtis JR, et al .: A measure of the quality of dying and death. Initial validation using after death interviews with family members. J Pain Symptom Manage 24（1）:17-31, 2002.
10. Miyashita M, et al. : Good death in cancer care ～ a nationwide quantitative study. Ann Oncol 18:1090-1097, 2007.
11. 「良い死の12基本原理」BMJ Editorial；2000；Jan.15th.
12. 良忠（著）、大崎信（訳）、宮本直樹（絵）、2001 『看病用心抄 （平成版私訳））』 お寺の出前会.

解説注 1

　良忠上人（1199-1287）著『看病用心鈔（抄）』の概要（1240年頃）

『看病用心鈔（抄）』「序」

往生浄土への導き手である善知識と病人を看護する人とに申す。極楽浄土へ往生することは人生の一大事です。もし、善知識の慈悲の心による勧め導きの力に預からなければ、この一大事は成就することができないのです。それゆえに、病人は善知識に対して仏の思いを抱き、善知識は病人に対して一子へ慈しみの心を注ぐべきであると言われます。したがって病人の思いを知って、病床に臥すはじめから命の尽きる終わりまで、心を配り 慮 って行うことなどを述べたい。

（以下は、この『看病用心鈔』の各章の項目順序である。）

一、病室のしつらえ

二、看病人の心得

三、看病人の作法

四、看病人の役割分担

五、病人の治療と祈祷

六、死の縁のうけとめ方

七、病人の食べ物

八、死後のこと（これは遺言等のことです）

九・十、大小便の排泄とその世話

十一、病人の心の持ち方を導く

十二、病人が見た夢の対処

十三・十四、聞法と説法（これは仏の教えを聴くということと、仏の教えを説くということです）

十五、病人の臨終の心得

十六・十七、臨終の苦痛の対処

十八、命終の看取り

十九、命終時と命終後の作法

Column　現代の生と死の考え方

　最先端の宇宙の成り立ちの事実から私たちの生と死の新しい考え方、私たちが生きると言うこと、そして死ぬと言うことの新しいコンセプトの必要性があり、この宇宙で生き、そして死ぬことの新しく現在に合った「新生物的生と死」の考え方が求められる。しかし、私たち、ホモ・サピエンスは、先人たちからの「人間を人間たらしめる文化遺産」、宗教家、哲学者、思想家たちの「唯心的生と死」の概念も忘れてはならない。

　いずれにしろ、それらは、次の問に答えなければならない。

　宇宙で生まれ、そして死んでいくとは

　この宇宙で生まれ、そして死んで行くことの意義は

　この宇宙で誕生して、そしてその中で消滅して逝く私たちの生命とは

　私たちは、宗教なくして生き、死ぬことは可能であるが、果たしてそれで良いのであろうか。

Column 高齢者介護施設の入居者の'生きる力'と'死ぬ力'

　施設高齢者の皆さんがその人らしく生き、そして自分の人生を振り返ったとき、後悔するのではなく、少しでも生きていて良かったなと感じてもらうことが大切である。全ての人は、「生きる力」とともに「人生を閉じる力」もある。全ての老いる人は、苦痛なく平穏に、やすらかに死ねるもの、死に向き合うことで人生が豊かになる。

　したがって、高齢者介護施設の終末期ケアとは、「死ぬまで生きる」ことを支援することでもある。最期の最期まで施設入居にも、生きる質（QOL）と死の質（QOD）ともに大切となる。

Column 看取りケアの視点と考え方

　私たちは、いつも人間的（Humane）死生観を持つことが、まず大切である。自然との繋がりやコミュニケーションの中で、生と死が循環していくような死生観、生命観である。したがって、緩和・終末ケアの基本的特性は、症状管理であり、それは精神的、心理的ならびにスピリチュアル的苦痛の除去である。そして、死に近く施設入居者が満足して尊厳を持って、美しく逝くことを私たち施設ケア提供者は真心を持って援助することが肝心となる。その行動により、彼らの家族と私たち施設ケア提供者、双方にも悔いのない満足のできるケアとなる。したがって、高齢者介護施設における緩和・終末期ケアの真髄をまず理解し、それを肝に銘じて日常のケアに取り入れて行動し、実証することが大切である。看取りの介護・医療提供者としての心とケアのあり方は、シシリー・サンダース（1918年〜2005年）の'ホスピスマインド'そのものである。

Column 高齢者介護施設で美しく逝くとは

　死に近く'老い'の美しい姿が、維持されているかどうか。拘縮予防、清潔保持、清潔な衣類、口腔内乾燥や汚染への対応、皮膚を傷つけない丁寧な髭剃り、目脂拭き、眼球乾燥の予防、さらに皮膚乾燥予防をし、皮膚はいつも細やかな、特に保湿剤を使っての全身の皮膚ケアが必要となる。時には、軽いマッサージもこれに加えることが良い。そして死亡後の綺麗な姿に全てが繋がることを知って、スタッフはケアの最期に亡くなっていく人の最終の美を飾る、美しい死に方を、美しい苦痛のない姿で、眠るがごとく亡くなっていくことを前提に、細心の心暖かい、思いやりの深いケアが、死後のエンジェルケアにおいても続

けることが大切である。遺体への尊厳も施設ケアに含まれる。これらすべては、私たち施設スタッフのケアの結果であるから。

　永年の超高齢者の死別に医師としてかかわってよく経験していることは、たとえ多くの慢性疾患に罹患していても、最後は医療処置もいらず、自然のまま苦痛なく眠るがごとく逝くことである。ただただ平静で美しい。私たちの長寿で死に逝くもっとも理想的像として、誰にでも可能であることを教えられる。しかし、上記のような終末・臨時期ケアがこの美しく最期を迎えることに深く関与している。

第6章
高齢者の
スピリチュアルペインとケア

1. 施設における「生と死のスピリチュアル」とその「ペイン」とは[1-3]

　スピリチュアルとは、人間として生きることに関連した経験的一側面であり、身体的、心理的、社会的因子を包んだ人間の生の全体を構成する一因子として見ることができる。生きている意味や、目的についての関心や、懸念に関わり合っていることが多い。特に人生の終末に近づいた人にとっては、自らを許すこと、他の人々との和解、価値の確認などが関連している。さらに、スピリチュアリティに対する‘私’が持つ質問として、なぜ‘私’に、神が存在するのか、どうして‘私’がまだここにいるのか、私は罰せられるのか、死んだ後はどうなるのか、私の命にどのような意味があるのか、私の死に何か意味があるのか、‘私’が最愛の人の死の原因だったのか、等々である。

　したがって、スピリチュアルペインとは生きる意味や目的についての問いであり、人間の意味の問い、価値体系の変化、苦しみの意味、罪の意識、死の恐怖、神の存在への追求、さらに死生観に対する悩み、などがある。それは、‘自己の存在’と‘意味（意義）の消失’から生じる苦痛（無意味、無価値、空虚など）と言われている。すなわち、スピリチュアルペインは、なぜ私はこんな風に生きている意味もない、何の役にも立たない存在なのであろうか、人の人生とは一体何だろうか・何だったのか、早く死にたい、迷惑をかけて申し訳ない、誰もわかってくれない、不公平だ、死んだらどうなる、バチが当たった等々、自分らしくないことに深刻な感情、深刻な思考とならざるを得ない。なかなか自己受容ができないことになる。スピリチュアルペインとは、自分らしくない自分を生きていかねばならない苦痛とも解釈できる。

　一方、精神的苦痛とは孤独、疎外、不安、恐怖、抑圧、怒り、混乱、後悔、焦燥感、いら立ち、不穏などなどである。精神症状をはじめとする感情的、情緒的反応のこととなる。これは、前記の、自分らしくない自分を生きていかね

なばならない苦悩であり、主に理性と深く結びついている。

　さて、著者は、'スピリチュアリティとは「存在」である'と考える。人間としての「存在」そのものである。もう十年以上も前になるが、私がある日本の大病院で医療従事者の一リーダーとして働いていた時に、早稲田大学人間学講座の某教授のセミナーの大学院学生グループが実習見学に来られた。その際に、著者が患者を診る基本姿勢について、小レクチャーをしている折にふと、このスピリチュアリティの真の原理は、'存在そのものである'ということを理解した（川西秀徳言語録2001年）。人間の存在は、このスピリチュアリティを基本原理としている。興味深いのは、後になって村田ら[3-7]が、同じ視点にたって具体的に論じていることがわかった。

　ゆえに、「スピリチュアリティとは人生の危機に直面して自分らしく、より人間らしく、生きるための'存在'の枠組み、自己同一性が失われた時のそれらのものを自分以外の超越的なものに求める、あるいは自分の内面の究極的なものに求める機能でもある[6]」。

　「神とはすなわち自然であり、万物に存在する」。既存の神に不信をもつ無神論者、ユダヤ社会から追放されたスピノザ（1632-1677）（オランダのデカルト、ライプニッツと並ぶ17世紀の近世合理主義哲学者で代表的な「汎神論」で知られる）の言葉である。これに対し、アルバート・アインシュタイン（1879-1955）は、「存在する者の秩序ある行動の中に自らを表すスピノザの神なら信じるが、人間の運命や行動に関する人格のある神は信じない」、と述べている。

　しかし、一般的に私たちは、老いと共に、これらの生きていく意義のある言葉、概念や考え方も妥協、マンネリズム化、そして認知障害などによりその重要さがなくなっていく。脆弱で高い要介護度と老化の進行した施設高齢者には、普通の現象となる。むしろ考え苦悩する必要がなくなるのである。多くの彼らは平穏に自らの人生の終わるのを、淡々と何も考えずに待っているようにも見える。彼らも、青年期、中年期、前期高齢期のころは、私たち、ケア提供者と同じく、真剣に人生の基本的なこと、生きて死ぬ意義について悩んだことであろう。

　スピリツアリティとそのペインについては、施設では、むしろ彼らをケアする側の人々にこそ深く理解して欲しい。これらはもうすでに考え、悩むことの

必要もなくなった施設入居者のケアを担当するには、彼らの頭の隅に残存していてその片鱗を見出す可能性のあるスピリツアリティとともに日々の施設ケアと生活なかで、ケア提供者が、自身のスピリツアリティを学習し、考え、経験して会得したいものである。このことが、彼らの精神的成長の原動力となり、自分のこれからの生き方そのものに直接インパクトを与える。そして、施設ケアのプロフェッショナルとして、さらに進化していくと思う。

このスピリツアリティとそのペインの理論の理解をより深め、施設高齢入居者のケアの質の向上と介護・看護に携わるケア提供者自身のために、このトピックを、さらに掘り下げて続けよう。

2. スピリチュアルペインが表出される仕組み[1-9]

スピリチュアルペインの表出は、全ての者にあるのでなく、経験上その約1/3である。スピリチュアルペインを表出する者への関わり合いは、共感、理解の態度と家族の介入が圧倒的に多い。

一般的にスピリチュアルペインの具体的な表出は、次のような内容である[3]。「(1) 生きる意味への問い。こんなになって生きていてもしょうがない。私の人生は一体何だったのだろうか。こんな重い病気になって何を支えにしていけばいいのか。(2) 苦難に対する問い。私だけがなぜこんなに苦しまなければならないのか。(3) 希望がない。どうせ死ぬのなら、頑張っても仕方がない。身辺処理も済んだし何もすることがない。(4) 真の愛を感じられない（孤独）。寝たきりで無力の私を温かく受け入れてほしい（隔離）。こんな私を誰も助けてくれない（無視）。寂しい。(5) 罪責感。私は悪いことをしたからこんな病気になったのか。私が悪かった。許してほしい。(6) 別離。家族とも、もう会えなくなるのか。(7) 家族に迷惑をかける。こんなに迷惑をかけるなら早く死にたい。(8) 死後の問題。死んだら私はどうなるのか。無になるのか。」これらのいろいろの表出内容についてはそれぞれ個々別でその考え方が違うが、このような多くの問題を抱える。

意識するかしないかに関わらず、心のもっと深いところでは、誰しもが自分を見つめなおし、心身のストレスを和らげ、心に安らぎを与えてくれるもの、生きる勇気を注ぎ込んでくれるものを希求する。実はこの欲求こそが生命の根

源的なもので、'スピリチュアル'でなかろうか。

　たとえば、(1) 主（神）に「なぜ私がこんな目にあわざるをえないのだろうか」などと訴えるとき。「人は、原因と結果との合目的な関係を知ろうとする欲求を満たすことを望む。人間は'なぜ'ということ、そして'なんのために'ということを知りたいと思う。あらゆる反省的な健全な人間において、因果律を満たそうとする単純な要求が形而上学的な憧れや宗教に発展する」[9]。

　(2) 生きる意味がないと、つまり価値がないと訴えるとき。「病弱の人は、病や寝たきりの生活そのものに苦悩しているのではない。病を患い、寝たきりの生活を強いられている自分自身のありかたに苦悩するのである。存在意識や価値観を見出せなくなり、無意味、空虚となりその自分に嫌悪し、生きることへ苦悩する。自分らしさの喪失となる」[3]。

　さらに、スピリチュアルペインが表出される'仕組み'を追求すると、「(1) 自分との比較が、重要な要因となる。(2)私とは、生きる意味とはなどの模索。(3) やりたいこと、やりたかったこと、やらねばならないことなどなどの要求。本来の自分との心の葛藤を導き、和解したい、死後の世界は天国へいきたい、解放されたい（心が楽になりたい）など、スピリチュアルペインとして表出される。これらにスピリチュアルケアをすることによって'わかる・わかるよう'、'できた'、'自分らしさの実感'などへのプロセスが自己受容に繋がることになる」[3,4]。

3.　現代の死生観とスピリチュアリティについて

　人間はなぜ死を恐れるのか、不可避で、苦痛、恐怖をもたらすからなのか。確かに肉体的、精神的、スピリチュアル的、さらに社会的・経済的な痛みをだれしも本能的に避けたいのであるが、このような自分が消滅していく不条理感や、恐怖感が原因となっている。また、愛する人との別れは、耐えしのぎが難しく、悲嘆の感情に包まれることは必須となる。人間のこころの反応は、複雑である。

　著者が興味あるのは、急速に進化する社会に生きる現代の私たち日本人である。私たちはこのような環境でどのように死を考え、理解したらよいのであろうか。何か他の考えかたは、あるのだろうか。

　多くの日本人は、鎌倉時代より江戸時代にかけて、武士社会が中心となって

培われ芽生えた、死に対する心構えは禅の生死一如、無、空に代表される死生観が模範とされてきた。しかし、明治の近代国家になってから最近まで死に直面したときの心の準備、対処が疎かになり、それから逃避していた。現代は、かなりこのものの考え方が変わってきて、死に直接立ち向かおうとする人たちも増え、一般的に死を自然の流れとして認め、恐れない禅的生活の死に方と社会的人間としての意義の必要性を認める考え方が少しずつ浸透してきている。たとえば、死期が近い老年期は、自分がこれまでの人生で価値あると思ったものを次の世代に受け渡していく時期である。その老い方、死に方を後ろからくるものに見せるという最期の役割、仕事が残されているというような考え方である。

　さらに、もっと根本的に話を進めてみよう。それは、まず全ての生き物は、この宇宙で生まれて、死んで逝くという消滅の自然のサイクルの一部にすぎないこと、そして無生物も然り（しか）であることを疑いのない事象として受け止めることである。私たちは、宇宙の構成物質、元素の構成からなる生物の一つである。すなわち、地球の誕生から数多くの過酷な自然環境の変化のなかで適応しつつ偶然に、また必然的に創られた多細胞生物で、その進化のなか生殖の機能を持つと同時に、死をも運命づけられた生物である。生きるかけがえのなさと必ず死ぬという生命のもつ2つの必然的な運命であり、これが表裏一体（生死一如）となっている。必ず死ぬから私たちはかけがえのない命の大切さ、また生きる同胞に対する人間の尊厳の価値観の重要さを理解してきたはずである。脳の発達によって自己意識を持ち社会性を有し、時空を超えることも可能で未来を予測するというホモ・サピエンスの進化は、いつも死の恐怖自体が一緒に存在してきた。死の恐怖を完全否定するのはできないが、その対策に私たちは、いろいろ哲学的・宗教的思索、そして論議してきた。死のプロセスで経験される肉体的苦痛は現代の医学の進歩によってほとんどとり除くことが可能となった。この科学的な進歩、情報の蓄積が段々と拡大してビッグデータとしてスーパーコンピュータで処理整理され、人工頭脳（AI）にインプットされる。各分野で応用実用化されるICT革命と遺伝子編集まで可能とするバイオテクノロジー（BT）の進化の影響が、これからも私たちの死生観に深くインパクトを持つ要因となる。

　一方、精神的、スピリチュアルな痛みや自分の存在が消滅する不条理感などに対する心の構えは、一朝一夕ではできるものではないが、上記の身体的苦痛からの解放が死生観の確立のために非宗教的（哲学的も含めて）・宗教的共有の理解などを私たちにとってもっと必要となってきたし、これからも必要であろう。

　死の恐怖、苦しみから完全に逃れることは難しい。何らかの対策が必要となるが、特に'うつ'を含めてのこころの苦痛の対策、周囲の支え、絆と多岐にわたる緩和ケア対策は構築されてきたし、導入されてきた。生殖と死、脳の発達と宗教・哲学、生命のもつ'かけがえ'のなさと、必ず死ななければならない宿命、共に対照的に表裏関係を、私たちは理解せざるを得ない。エゴが強すぎるようになった人間ゆえに、利他の精神〜他者のためになるだけでなく、何と言っても自己の喜び、幸福に直結することとのバランスが大切になってくる。しかし人を愛し、子孫をつくり、かけがえのない命を精一杯生ききり、他者に貢献し、死を受容し、死んでいくこの自然の循環サイクルという死生観の重要性がここに見えてくる。このような自然から生まれ、自然にかえるサイクルの流れの中の利他的な超越的死生観は最も自然であり、抵抗なく私たちの多くは納得することが可能である。

　このような考えの死生観を持つことで死を感じた時、生きている素晴らしいことを理屈抜きで理解できよう。生きて活動できるというだけに、価値があり、高価な装飾品など何の価値もないということもわかる。ゆえに、死を考えることは生きる価値を知ることでもあり、日頃のライフスタイルに影響を及ぼす。生と死は、まさに一体表裏である。

4.　スピリチュアルケアのあり方[1-9]

　スピリチュアルケアは、生と死に関わるケアである。生と死とは一体何だろうか。古来、私たちの祖先は、それにできるだけ納得ができ、より正確な回答を得ようと努力してきた。

　生物の本質は、正常と特異的な行動の能動的維持であるが、それは、自己増殖がなければ意義がない。それを担うのは遺伝子である。生きるということの本質は、生存競争であるが、思いやりの心、絆の維持、秩序、妥協、協働、自

己性、利他性はその種存続のために遺伝子が進化の過程で獲得したホモ・サピエンスに特有の能力である。生と死は表裏一体といっても、もう少し視点をかえれば、生のたんなる裏返しではなく、生を支えるという積極的な意味を持つと考える。

　三つの領域からスピリチュアルケアを見てみよう。それらは、宗教的苦痛やニーズに対するケア、非宗教的にスピリチュアリティに対するケア、いわゆるスピリチュアルケア、そしてさらに精神的・心理的に触れるケアである。それらの、相違を図6-1に要約した。それぞれのケアは、相互に影響しあい、各個人によってそのバランスが異なる。すなわち、宗教家や教徒に見られる宗教的ケア優位型、心理学者、精神科医に見られる精神的・心理的ケア優位型、そして以上の2つの型とは異なるスピリチュアルケア優位型が基本形であり、亜系型としての折衷型に分かれる。そして、非宗教家であっても‘おもてなしの心’、‘ホスピスマインド’や‘人生の共感者’としても十分に宗教家によるケアに変わりうる。この3つの境界は、本来曖昧なものである。ここでは、理解の難しい、最も多いスピリチュアルケア（とくに、非宗教的）に対する専門的知識を理解することが、より一層円滑にこころのケアがなされると考える。

　スピリチュアルケアでは、自己受容を目指してなされる。他者承認（イコール存在認識）を土台としたかかわりの全ての事と言っても良い。そのケアに必

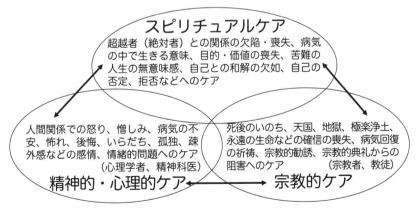

（窪寺俊之：2008『スピリチュアル学概説』三輪書店.

●図6-1　「精神的・心理的ケア」「スピリチュアルケア」「宗教的ケア」の相違

要なものとして、入居者／家族に対し、何とかして差し上げたいという情熱と、その思いを吟味する冷静さ、彼らとしっかりとした信頼関係を築き、その関係を継続していく時間、そしてスピリチュアルケアに理解を示す多職種によって構成されるチームが関わる空間が必要となってくる。したがって、トータルペイン（苦痛）の中のスピリチュアル領域の位置付けは、身体的苦痛、精神的苦痛、ならびに社会的苦痛すべてを総括的に包み込む[8, 9]。

　スピリチュアルケアの理論的アプローチとして、「村田理論」[3-7]がよく知られている。村田の提唱するスピリチュアルペインの論理とそのケアは、私たちの国の緩和ケアの現場においてそのわかりやすい考え方として、広く活用されてきた。ここではその概要を紹介する。村田理論によれば、スピリチュアルペインとは「自己の存在と意味の消失から生じる苦痛と定義されており、その内容は、生の無意味、無価値、虚無、孤独、不安、疎外、コントロール感の消失などがある」。したがって、この存在の概念を理解することが重要となってくる。著者のこの‘存在’については、既述したように、少し遅れてはいたものの、全く彼の事を知らずに独立して体験し記録している（川西秀徳言語録2001年）[23]。村田は「安定した人の存在は三つの柱によって支えられている」、と言う。その三つの柱とは、時間の存在、関係の存在、自律の存在である（表6-1参照）。

●表6-1　存在を支える3つの柱とケアの指針

時間存在	人間は、過去に経験したさまざまな出来事を通して、将来への希望・目標に向けて、今を生きている存在である〜（死をも超えた将来を見出す）	新たな現在の意味の回復
関係存在	「人の存在は他者から与えられる」生の存在と意味の成立には他者との関係が必要である〜（死をも超えた他者を見出す）	その他者から自己の存在の意味を与えられる
自律存在	人間は、自己決定できる自由が与えられている存在である〜（知覚／思考／表現／行為各次元での自律を語る）	自己決定と自律の回復

［村田久行：緩和ケア　2005-09; 15(5); 385-390.(著者一部改変)]
［小澤竹俊：緩和ケア　2005-09; 15 (5) ; 402-406.]

「1) 時間存在（生の無意味、無目的）：時間的存在である人間は、死の接近により将来を失う。したがって、死をも超えた将来の回復がスピリチュアルケアの目標となる。2) 関係存在（自己消失の不安）：関係存在である人間は死の接近により他者との関係を失う。ゆえに、死をも超えた他者との関係の回復が、スピリチュアルケアの目標となる。3) 自律存在（無価値、依存、無意味）：自律存在である自分は、死の接近により自律と将来性を失う。したがって、自律と生産性による次元で、自律（自己決定）の回復が目標となる。」

この村田理論の特徴は、スピリチュアルペインのアセスメントを行うだけでなく、スピリチュアルケアのプランを示すことが可能であると言われる[3-5]。終末期入居者（患者）のスピリチュアルなケアの挑戦として、表6-2a,b,cを参照するとよい。「時間的存在」は、将来を失い、その内的自己の探求と価値観の再構築、入居者（患者）のスピリチュアルな対処方箋、そしてスピリチュアルケアの方法を示してある。この「時間的存在」で、入居者（患者）は将来を失う。また、「関係的存在」である入居者（患者）は他者を失い、「自律存在」

●表6-2 (a)　終末期患者のスピリチュアルな対処方策

	スピリチュアルペイン	内的自己の探求と価値観の再構築	患者のスピリチュアルな対処方策	スピリチュアルケアの方法
時間存在である患者は将来を失う	無意味 無目的 空虚 無力	過去・現在・将来を問い直す： ・これまでの自分の生き方、一生は何だったのかと振り返る ・患者の意識は過去に向かい、自己の一生は意味あるもの、価値あるものであったかを問いかける ・日常性の虚妄に気づく ・真の意味・価値・滅びぬ永遠のものを求める	生の回顧：自己の生涯を一つのまとまりある全体としてとして再認識し、物語として再編することによって、自己の生に意味と価値を求める （意識は過去に向かう） 現在の輝き：将来（目標）のための手段でしかなかった現在を破棄し、患者が今を生きる意味を回復する （意識は現在に向かう） 旅立ちの準備：生涯のまとめ、やり残したことをやり遂げる、思い出の人々への感謝とお別れ、後に残す者への想い、言葉、物事を伝える。これらはすべて死をも超えた将来への旅立ちの準備 お迎え：死をも超えた他者からのお迎えを受ける （意識は将来に向かう）	傾聴と対話 生の回顧を促す 自分史を編む

●表 6-2（b）　終末期患者のスピリチュアルな対処方策

	スピリチュアルペイン	内的自己の探求と価値観の再構築	患者のスピリチュアルな対処方策	スピリチュアルケアの方法
関係存在である患者は他者を失う	アイデンティティの喪失 不安 孤独 疎外 無意味 空虚 無力	自己・他者・自然・超越者との関係を問い直す： ・これまでの日常の人間関係、友人、家族との関係を問い直す ・現在の孤独や不安を癒し、真の信頼と安心を与える他者や自然との関係を点検する ・死に向かい、滅びに向かう自己を支えることのできる永遠の他者との関係を問いかける	具体的な接触、共にいること：不安な自己を具体的に支えてくれる日常の家族、医療スタッフとの身辺の具体的な接触、共にいることを求める 他者への役割を得る：役割を与えられることで自己のアイデンティティと尊厳を保つ 自然にふれる：自然の中で心身が開放される 永遠の滅びぬもの：死をも超えた存在、永遠の滅びぬものとの関係に向かう。永遠の命、罪の赦しを求める 愛の相互関係：死に臨み、不安や孤独、生の無意味を体験する終末期患者を癒し、真の信頼と安心を与える他者との関係は愛であると認識する	傾聴と対話 共にいる タッチング 家族へのスピリチュアルサポート 患者にも役割を与える 聖職者に紹介する

●表 6-2（c）　終末期患者のスピリチュアルな対処方策

	スピリチュアルペイン	内的自己の探求と価値観の再構築	患者のスピリチュアルな対処方策	スピリチュアルケアの方法
自律存在である患者は自立と生産性を失う	依存と負担 無用 無価値 無意味 空虚 無力	自己の自律を問い直す： ・日常の自律概念が「自立」「生産性（役に立つ）」で構成されていることに気づく ・無力を自覚し「自立」の虚妄に気づき、［依存］が人間存在の基礎であることを自覚する ・役割と自律： 役割を果たせない 役割を与えられない 役割を押し付けられる →「役割」の再考	自律概念の明確化：自律の本質は自己決定であり、依存はかならずしも他律ではない。他者に依存しつつ自律することは可能と悟る 多次元での自律：知覚／思考／表現／行為の各次元でのセルフコントロールが可能と知る 意味づけ：苦難の意味づけを行う（「成長の機会」など）「工夫」という態度：工夫することに自律の回復を実感する 「ゆだねる」という態度：主体的に自然と他者に自分をゆだねる→自律性の回復 存在価値：使用価値と交換価値の価値観（有用性）で生きてきた自分に気づき、存在価値を回復する 「生かされている」という実感：他者に依存せざるを得なくなり関係存在であることを実感する 生命の深まり：行動が制限されると生命が深くなる	傾聴と対話 共にいる タッチング 家族へのスピリチュアルサポートにも役割を与える 聖職者に紹介する

（村田久行，小澤竹俊：終末期癌患者へのスピリチュアルケア援助プロセスの研究．臨床看護 30（9）：1450-1464，2004，へるす出版）

である入所者（患者）は、自律と生産性を失う。同じく、それらの対処法とスピリチュアルケアを挙げている。

　以上は、ほとんどの施設高齢入居者には適応するとは考え難いが、前述したように施設ケア提供者は、これらの一般成人に認められるスピリチュアルに関する概念とその応用を知っておくことは、亡くなって逝く施設入居者のケアの姿勢へのより深い思考、概念は勿論、人間として生きて死んでいくことへの考え方の指針を与えると信じる。家族にも、同様に当てはまる。

5.　スピリチュアルペイン緩和のための施設での実践

　その基本姿勢は、まずは傾聴（Listening）であろう。たとえ、一見観察できないとしても入居者の秘められた魂の叫びに関心を持って耳を傾けることである。存在（Existence）は、入居者のそばにいること。正直（Honesty）は、偽りの情報を伝えるのではなく、正直に真実を伝えることが必須である。そして、率直（Opening）は、入居者とケア提供者の関係がオープンにあること〜この4つの姿勢（上記の頭文字LEHO）は、緩和・終末期ケアに携わるケア提供者の心の持ち方として、淀川キリスト教病院・緩和ケアマニュアル（最新医学書）にも示されている。さらに、融通（Flexibility）は、入居者の存在感や信念に合わせ、尊重する事である。受容（Acceptance）は、受容的な態度で相手のことを信じて待つ。最後に、立証（Witness）は，死を避けず、一緒になって語り合う。全て、死にいく本人に対するケア提供者としての心得として、重要である（上記の頭文字LEHO・FAW）。

　一般的にスピリチュアルペインに対するケアは、従来の西洋医学の領域では、マインド、メンタル、脳を含めて理性・正気という部分は心理的、精神的分析などの領域に含まれる。一方、スピリチュアル、霊的在りかた、命、呼吸（気といった意味の語源）は、従来の東洋的思想で精神と肉体の統合する最も上位に属するレベルのケアであると考える。いま、世界的に普及しているスピリチュアルケアにも応用される仏教の正念（サティ）を原理とする思いやり（Compassion）と気づき（Awearness）で覚め（自己覚醒）（Awakening）、平静のこころ（Inner Peace, Serenity, Harmoney）を会得するマインドフルネス（瞑想）[10-13]は、日本の禅思想と西洋の精神・心理学との融合したものと考える。著者の実践的

経験では、この方法は誰にでも習得でき習慣づけやすい自己スピリチュアルケアに効果を期待できる。そして、興味深いことに鈴木大拙（1870～1966；近代の日本を代表する仏教哲学者。仏教、とくに禅の思想の研究で日本の禅の思想と日本文化を紹介し、日本、海外で名声が高い）の「日本的霊性」[14] の内容にも適応している。まさに、「日本的霊性」と言っても過言ではない。さらに上記した如く、鎌倉時代の武士精神に根差し、禅宗の僧侶とともに受け継がれてきた日本的禅の思想に発端があることが理解できる。

　要約すると、スピリチュアルペインとは、生きる意味や目的についての問いであり、上述の村田理論の中での'関係存在'である人間のスピリチュアルペインが重要である。自己の存在と意味は他者によって与えられる。それは、死が近づくことによって、他者や世界との関係の断絶を思い、自己の存在と生きる意味を失うようになる。

　高齢者介護施設では余り経験しないが、一般医療機関では終末期の病人が持つ'死の恐怖'と'不安'などは、人によっていろいろ異なるとしても、共通するものも多い。愛する家族や友人たちの別離の悲しみ、残された家族に対する心配、人生を不完全なまま終えることへの不満、身体的苦痛への恐怖と不安、一人旅立つことの孤独に対する恐怖と不安、体験したことのない未知なるものを前にした時の不安、自己自身の消滅への不安（死とともに全てが無になる、無になっていることへの不安）、死後の審判や、罪に関する不安、死後に行われるこの世での生活の事前に対する審判とその罪の不安などである。全ての恐怖や不安を同じように感じるとは限らない。年齢や侵されている症状、信仰心などにより大きな個人差がある。

　宗教を信仰しない者にとってのスピリッチュアリティは、「ユニバース（宇宙）のような永続性と絶対的な存在であり、生きていく上で絶対性のものである。そして生命そのものである」と理解したい。ヒューマン、人間たるべきもののエッセンシャルでもある。人間の中にある最も大事なコア・エレメントになり、制限のない、絶対的な存在となる。施設ケア提供者も、ぜひこのことを肝に銘じてほしい。一人ひとりにケアを提供する者の人間としての在りかたを教えられる。

　次に、参考として、世界保健機構WHOの健康定義の改正に備えて作成され

た、'スピリチュアリティ'の領域を測定するための尺度、SRPB（Spirituality, Religiousness and Personal Beliefs）（スピリチュアル信仰、個人的信念）について記そう（表6-3参照）。

●表6-3　WHOの健康概念：スピリチュアリティに含まれる4領域と18下位領域

第1領域 個人的な人間関係 （Personal Relation）	1. 親切、利己的でないこと（kindness to others／selflessness） 2. 周囲の人を受容すること（acceptance of others） 3. 許すこと（forgiveness）
第2領域 生きていく上での規範 （Code to live by）	4. 生きていく上での規範（code to live） 5. 信念や儀礼を行う自由（freedom to practice beliefs and rituals） 6. 信仰（faith）
第3領域 超越性 （Transcendence）	7. 希望，楽観主義（hope／optimism） 8. 畏敬の念（awe） 9. 内的な強さ（inner strength） 10. 人生を自分でコントロールすること（Control over your life） 11. 心の平穏，安寧，調和（inner peace／Serenity／harmony） 12. 人生の意味（meaning of life） 13. 絶対的存在との連帯感（connectedness to a spiritual being or force） 14. 統合性，一体感（wholeness／integration） 15. 諦念，愛着（detachment／attachment） 16. 死と死にゆくこと（death and dying） 17. 無償の愛（divine love）
第4領域 宗教に対する信仰 （Specific religious Beliefs）	18. 宗教に対する信仰（specific religious beliefs）

（藤井美和，李政元，田崎美弥子，松田正己，中根允文：日本人のスピリチュアリティの表すもの：WHOQOLのスピリチュアリティ予備調査から．日本社会精神医学会雑誌，14(1), 3-17, 2005.）

　その領域は、個人的な人間関係（Personal Relation）、生きていく上での規範（Code to live by）、超越性（Transcendence）、そして宗教に対する信仰（Specific religious Beliefs）の4領域となっている。それらの下位領域は、18項目がある。しかし、重要なのは、8つの事項からなる。(1)絶対的存在との連帯感（Connectedness to a Spiritual Being or Force）、(2)人生の意味（Meaning of Life）、(3)

畏敬の念（Awe）、（4）統合性と一体感（Wholeness & Integration）、（5）内的な強さ（Spiritual Strength）、（6）心の平静（Inner Peace/Serenity/Harmony）、（7）希望と楽観主義（Hope & Optimism）、さらに（8）信仰（Faith）である。これらを、調査して、この提供しているスピリアリチュアルペインの質は、その総括的結果で評価が可能となる。したがって、私たち施設ケア提供者は、まずはこれらの項目を理解することで、スピリチュアルペインばかりでなく、提供するケアの包括的質の向上に役に立つであろう。

6. 死を乗り越える超越の死生観とは〜スピリチュアル的超越と老人的超越

この死生観は、施設高齢者には通常、問題になることはない。認知症以外の多くは、意識しようが、なかろうが、加齢ということで、すでに自然に老人的超越に近い考えを備えているからである。その一つに、多くの老いの先人たちは、「死を知らなくては、生はない。生きざまは死にざまでもあり、死にざまは生きざまでもある」[15]と実感したことであろう。

戸塚洋（宇宙物理学者；1942年〜2008年）の死を前にしての次の言葉は、重い。「私にとっての早い死は、健常者と比べて10年、20年の差ではないか。皆と一緒で恐れるほどのことはない。宇宙や万物は何もないところから発生し、何れ消失し死を迎える。遠い未来の話だが、生物の命は消滅したのちにも世界は何事もなく進んでいくが、決してそれが永遠に続くことはない。何れも万物も死にたえるものだから恐れることはない。自分の命が消失したのちでも世界は何事もなく進んでいく、自分が存在したことはこの時間と共に進む世界の中で何の痕跡も残さず消えていく。自分が消失した後の世界を垣間見ることは絶対出来ない」と。

さて、スピリチュアル的超越と老人的超越を考えてみよう。スピリチュアル的超越は、具体的に長い不治の病に臥すことによる肉体的、精神的苦痛の悩みを死による消失や死後の世界や、神や、仏との関わりを語る人がいる。その中でも特に堪えがたい、逃れることのできない身体的、精神的苦痛からの解放とこころの平穏と安寧を強く願い、人生の生きがいと意義による精神的・心理的ケア優位の中・壮年者や前期高齢者が存在する。これらの方々は、内的強さを持ち、現在の境遇を幸せだと感謝し、死を受容し、人生を享受し、過去現在に

関わりのある人たちを赦し、また利他的になるなどの特徴がある。ここでは、このプロセスをスピリチュアル的超越と呼ぼう。

　一方、老年的超越は1989年にトルンスタム（Tornstam. L.）によって提唱された概念[16,17]であり、「高齢に至ると思考が内面化し社会関係から自然になり、自由になり、自己概念が変容し、それまでの自己を超越するようになる人がいる」と、彼は記している。マズロー（Abraham Maslow, 1908-1970）[18]は、人間の成長過程で最終段階として、同じ超越を論じている。エリクソン（Eric Erikson, 1902-1994）[19]も、その発達段階では60歳以上の老年期（成熟期）は、第8段階にあり、自我統合があり、また絶望、叡知両方の矛盾する2対極の要素がある。そして、つぎの第9段階では、危機を乗り越えた人々が得ることができる、前述のトルンスタム（Tornstam）の提唱する老年的超越の範疇である。

　その後、増井らは日本式の'老年的超越'を調査し報告[20-22]している。基準が違うので断定はできないが、老年的超越は、スピリチュアル的超越と類似点はあるもののかなり異なっている。増井は、老年期で超越に至るには特別な訓練や努力は必要なのではなく、最も重要なのは単に歳を取ることだと言っている。また男や女にかなりの差があり、男より女に多いという。著者の経験からは、日本人にみる老年的超越は、通常約85歳以上で加齢そのものとの関係が深い。増井らの観察に賛同する。しかし、男女差は、女性の方が圧倒的に長寿であるのが要因ではなかろうか。

　スピリチュアル的超越の場合は、病からの死であるのに対し、老人的超越の場合は、老いからの死である。前者は死が間近に迫る現象であるのに対し、後者はまだ漠然としていてそれほどの切迫感はない。スピリチュアル的超越と老人的超越を比較するとき、前者はスピリチュアル的・肉体的苦悩で誘導されるのに対し、後者は加齢であることが最も顕著で大きな違いである。死に向かう心の動きを考える場合、老年的超越は新たな価値観の獲得というよりも、加齢とともに人間社会を生きた価値観から脱却の方が大きい意味があるのかも知れない。また、勿論老化の過程で、スピリチュアル的超越にも加齢的効果が強く認められる混合型のあることは、推測できよう。筆者は、この現象は、スピリチュアル的超越を老人的超越が代替したのでなく、併存しただけの結果と考える。確かに、この2つの超越を具現化して逝ったケースを経験している。

　しかし、既述したマズロー、エリクソン、トルンスタムらの老年的超越は、高齢者介護施設の環境では、普通は観られることはない。一般的に日本人では、後期高齢者以上、とくに85歳以上の方々は、時間や空間を超越する宇宙的意識はなく、他者とのつながりの思い（利他的になる、他者、とくに家族への感謝の気持ちが優位になる、など）とか、自己意識の変化（考えない、無理をしない、ありのままを取り入れるなどの自然体である、不幸感が弱まり、一人でいることの良さを認識し孤独感が弱くなり、肯定的・内向的態度になる、自己主張や自己のこだわりなどの社会的自己が喪失していく、善悪・生死・現在・過去などの考えが低下する、など[20-22]）がある。むしろ、彼らの多くは、上記の増井らの'老年的超越'の部類に属する。もしマズロー、エリクソン、トルンスタム型の'老人的超越'をした高齢者がいるとすると、施設のそとのコミュニティで健康を維持してほぼ自立・自律した、または難治性疾患をもつ一部の知的な精神的に昇華のできる高齢者ではなかろうか。

　自然のスピリチュアルでは、共通してマズロー、エリクソン、トルンスタム型の老人的超越の真髄を観察できる。たとえば、自然写真家で'地峡の再発見による人間性回復へ'をテーマに原始風景と霊的聖地などを撮影している白川義員（1935～）は、世界の高い山々の空中撮影を行い、自然の素晴らしさ畏敬などを表現した写真が多い。私たちは太陽系の地球に生まれた生物であり進化して人間となって、さらにこれからも進化を続けていくが、与えられた摂理は'生まれて死ぬ'ということ、すなわち自然から与えられた生命を子孫に伝えるなかで、私たちはそのサイクルの人間としての生命を次の世代に与え、自分は生命を消滅して自然に帰るということではなかろうか（川西秀徳言語録より）[23]。

　最後に、スピリチュアリティへの問いは、私たち一人ひとりへの問いである。私たちは、死ぬ前に歩んで来た自分の人生に後悔しないようにどうしたらよいのか、そしてこの世に残して行く最後のメッセージに満足、納得することができるのだろうか。自分自身に忠実に生きればよかったとか、あんなに一生懸命働かなくてもよかったとか、もっと自分の気持ちを表す勇気を持てばよかったとか、もっと親密な友人関係を続けていけばよかったとか、自分が愛する人をもっと幸せにしてあげればよかった等々の悔いがないように、私たちは日頃から自分の最期の死のあり方を考え、それに準備することが必要であろう。

　死を思い、日々を生きことに、間違いなく有意義でありたい。大部分の人は一日一日を必死に頑張っている。そしてそんなに頑張っても後悔を残してしまうことも人生であろう。しかし、「私の人生は最高だった。'ありがとう'」と言って亡くなった私たちの同胞もいる。でも、その方は必ずしも何か特別な人生を歩んで来られた方ではなかったと思うが、後悔ではなく最高だったと言えるのは、何があったのであろうか。後悔であったか、最高であったか、その人自身が決めるべきなのであろう。これは'幸せ'か'不幸せ'であったと言うことと同じである。

　しかし、一方で人間は自身の意義のある満足できる生き方を思って生き方を変えられないのであろうか。正直なところ変えられないかも知れない。目前の課題や問題にもがきながら一日一日必死に頑張っている人が大部分であろう。頑張っても、頑張っても後悔が残ってしまうのも人生である。高齢者介護施設の入居者の一人ひとりの方々に生きてきた軌跡があり、今はわからなくとも、同じように過去に苦悩して過ごした時があったであろう。でも解決できるまえに、忘却の彼方に残してきた方々も多いであろう。

　したがって、私たちケア提供者は、過去はどうであれ、高齢者施設入居者が眠るが如く平穏に逝くことができるように、最高の思いやり人間的心のプロフェッショナルケアが求められる。ここには、私たちの'尊厳'の中で、'敬意、謙虚さ、優しさ'に満ちていなければならない。そして、私たちが共に選んだ土地で、共に健やかに老い、共に楽しく癒されて生き、共に幸せに逝く最期の棲家が高齢者介護施設であって欲しい。

【引用文献】
1. 星美知子：スピリチュアリティ．看護研究43（2）：123-137，2010.
2. 田崎美弥子：健康の定義におけるスピリチュアリティ．医学のあゆみ216（2）；149-151，2006.
3. 村田久行：終末期がん患者のスピリチュアルペインとそのケア（総説）　日本ペインクリニック学会誌118（1）：1-8，2011.
4. 小澤竹俊：現場で出会った方へのスピリチュアル—村田理論を用いたスピリチュアルケア（増大特集　スピリチュアルペイン—いのちを支えるケア）－（スピリチュアルとスピリチュアルケア）．緩和ケア15（5）：402-406，2005.
5. 村田久行，小澤竹俊：終末期癌患者へのスピリチュアルケア援助プロセスの研究．　臨床看護30（9）：1450-1464，2004.
6. Murata H, et al.: Conceptualization of psycho-existential suffering by the Japanese Task Force: the first step

of a nationwide project. Palliative and Supportive Care 4: 279-285, 2006.

7.　Murata H: Spiritual pain and its care in patients with terminal cancer: construction of a conceptual framework by philosophical approach. Palliative Support Care 1:15-21, 2003.

8.　赤澤輝和, 他:日本における精神的苦悩（スピリチュアルペイン）の概念化. 日本緩和医学会ニューズレター34号. Feb, 2007.　（日本緩和医療学会）

9.　渡辺学（著）1991『ユングにおける心と体験世界』 春秋社.

10.　カバットジン J（著）、春木豊（和訳）2007『マインドフルニスストレス低減法』、北大路書房.

11.　貝谷久宣、熊谷宏昭、越川房子（編著） 2016 『マインドフルネス－基礎と実践』 日本評論社。

12.　Cancer　Board　S q uare. 特集『がん X マインドフルネス』 Issue February vol.4（no.1）,　2018.

13.　ラリー・ローゼンバーグ（著）、藤田一照（和訳）2018 『Three Steps to Awakening：Å Practice for Bringing Mindfulness to Life. '目覚'への3つのステップ。 マインドフルネスを生活に生かす実践』 春秋社.

14.　鈴木大拙（著） 2010 『日本的霊性』 角川ソフィア文庫.

15.　永田勝太郎（著）2006『死にざまの医学』 NHK Books（1068）日本放送出版協会（刊）.

16.　Tornstam L: Gerotranscendence; A meta-theoretical reformulation of the disengagement theory. Aging; Clinical and experimental Research 1（1）: 55-63, 1989.

17.　Tornstam L　（2005）『Gerotranscendence: A Developmental Theory of Positive Aging』Springer Publishing, New York. .

18.　マズロー　AH（著）、上田吉一（和訳）1998『完全なる人間―魂のめざすもと第1版』、誠信書房.

19.　Erikson EH, Erikson JM（1997）『The Life Cycle Completed Expanded edition』, WW Norton & Company. New York.

20.　増井幸恵,他：日本版老年的超越質問紙改訂版の妥当性および信頼性の検討. 老年社会科学 35（1）：49-59, 2013.

21.　増井幸恵：老年的超越の研究の動向と課題. 老年社会科学35（3）：365-373, 2013.

22.　増井幸恵：老年的超越. 日本老年医学会雑誌 53（3）：210-214.2016.

23.　川西秀徳：「スピリチュアルと自然」 New Challenges 28号、平成23年（2011）2月（回心堂第二病院情報誌).

Column　施設緩和・終末期ケアの基本的なあり方～
我 vs それ、ならびに　我、わたくし vs 汝、あなた

　　マルティン・ブーバー（1878～1965）（オーストリア出身のユダヤ系宗教哲学者, 社会学者）の代表作 '我と汝'（1923年））は、「この世界でわたくしが存在するためには必ず他者との関係が必要である。そしてその関係とは、我、ケアギバー（介護・医療者）vs それ、入居者（患者） 又は我、わたくし vs　汝、あなたの二つである。我（介護・医療者）～それ（入居者）の関係とは、対象（相手）が持っていた性質のうち、我にとって都合の良い部分だけを取り出して、その対象（相手）と関わろうとしている時（例えば、自分の病気を知りたい入居者が医師に尋ねている時）であり、我（私）－汝（あなた）の関係とは、汝との関係は直接的であり、我と汝の間にはいかなる概念、計画、幻想、目的、欲望、

予想も成り立たない。私はただひたすらあなたと向かい合い、そのあるがままの姿を受け入れる。」

　この関係は、ホスピス緩和ケアにおいても然りである。「常に我（わたくし）−汝（あなた）、我（介護・医療者）−それ（入居者）の二重性の中でなされている。人間は、'我〜それ' なくしては生きることはできない。しかし、'我〜それ' のみでだけで生きるものは真の人間ではない。介護・医療者と入居者が相互に汝として認め関わっていくことが大切なことは言うに及ばない。私とあなたの間をつなぐものは '愛' であり、'愛' とはあなたに対する私の責任でもある」。したがって、施設ケア提供者の責任を持った関わり方は、入居者に、家族に一途に応えることである。

Column　生と死のスピリチュアルな考え方

　生死一如、生きなければ、死なない（不生不滅）、死がなければ生はない。生き様は死に様である。死に様は生き様でもある。人知らず、何処から生まれ、何処へ死んで行くのか。生まれ、生まれ、生まれて暗らし、死んで死んでなお暗らし（空海）。ゆえに、スピリチュアルペインとは、生きる意味や目的についての問いである。

　宇宙で生まれ、そして死んでいくとは、なんだろうか。私たちは、宗教なくして生き、自分らしく、納得して、また満足して死ぬことは可能であろうか。では、この宇宙で誕生して、そしてその中で消滅して逝く私たちの生命とは、またその意義は、なんであろうか。

　生と死の考え方に、最先端の宇宙の成り立ちの事実から私たちの生と死の新しいエビデンスに基づく考え方が必要である。私たちが生きると言うこと、そして死ぬと言うこと、この新しいコンセプトで、この宇宙で生き、そして死ぬことは、必然的なものである。現在に合った考え方であろう（川西秀徳　2010）。

　さらに、フランシスコ・ヴァレラ（1946-2001）の言葉で結ぼう。
「死のなかで、あなたは経験そのものになってゆく」、そして「'死にゆくことと共にあること'（Being with Dying）という言葉は、人間の置かれている状況を適切に描きだしている。私たちが他の種と異なっているのは、自分が死ぬことに気づいているという点にある。死を熟視することができる能力は、人間の本

質的な特性であるにもかかわらず、ほとんどの人は、人生の終末について考えることを積極的にしない」

第 **7** 章

老衰、そして
自然死（老衰死）と
断食死（絶食往生死）

1. 老衰〜老いていくとは

厚生労働省（編）「平成31年度死亡診断書（死体検案）記入マニュアル」[1]によれば、「老衰とは、老いて心身が衰えることである」。加齢に伴いまた年齢にさからえず機能が低下し、衰弱化し、限りなく死に近い状態といえるが、もっと具体的に述べると、年を取るにしたがって、体を構成する細胞や組織の機能が低下することが老化であり、その老化現象により生命活動能力は衰退し、生命維持が困難となり、多臓器不全で死に至った場合、それを老衰死と呼ぶ。このマニュアルでは、「死因として'老衰'が当てはまるものは、高齢者で他に記載すべき死亡の原因がない、いわゆる自然死の場合のみ用いるとしている。ただし老衰から他の病気を併発して死亡の場合は、直接死亡はその病態となる」。

厚生労働省の人口動態統計（2017）[2]によると、年齢階級別老衰による死亡数は、人口10万に対して男性25,807人、女性75,589人と、女性のほうが圧倒的に多い。昭和45年（1940年）の死因別では5.5%、平成12年（2000年）は、2.2%、平成17年（2005年）は2.4%、平成24年（2012年）4.8%であった。90歳代前半死亡者数のうち11.0%（5位）、90歳後半死亡者数のうち18.7%（2位）、100歳以上死亡者数のうち31.6%（1位）と年齢が増加するごとに'自然・老衰死'が増えてくる。現在も、この傾向には変わりがない[3]。

老衰死亡者の動向をよく見てみると、79歳までは男性のほうが多く、80歳以降は女性のほうが多くなる。2018年度の年齢階層別老衰による死亡者数は、90〜94歳が男、女ともに最大で、男性9,215人、女性が26,982人となっている[4]。

死亡原因別では、2018年には、前年（2017年）第3位「脳血管疾患」と逆転して第3位（人口10万対死亡率88.2）となった。2019年では、悪性新生物（腫瘍）27.3%、心疾患（高血圧を除く）15.0%、老衰（8.8%；前年度より1.03%増加）、脳血管疾患7.7%であり、老衰死は少しずつ死亡原因のランクでも、挙がる傾

向にある[5]。

　また、場所別による老衰死の2019年度厚労省の人口動態統計[4] によると、2018年の死亡率は，男性で、病院42.3％、老人ホーム27.7％、自宅17.0％、女性で病院33.8％、老人ホーム37.9％、自宅14.2％であり、男・女比較では、男性に、病院死が最も多い。つぎに、女性の老人ホームとなっている。

　ある一定の年で老衰を死因として亡くなるためには、その年まで他の病態をはじめとした死因に遭遇しない（事故や事件に巻き込まれない事例も含めて）ことにくわえ、その年まで細胞や組織の老化が死に至るまで進んでいないことが不可欠条件となる。老衰者の増加年齢のパターンや、高齢化はさまざまな理由があるとしてもそのひとつには身体自身の機能の向上にある。医療の進歩もこれに大きく関与していると考えられる。

　しかし、老衰になると、ある程度の年齢による慢性疾患（生活習慣病、がんサバイバー、等）を持つものも、基本的に死に至る特定の病気を持たない状態のまま心身の機能が低下し、恒常性の維持が不可能になる。すなわち、ホメオスタシスの破綻が原因である。そして、このプロセスは病的代謝過程や病的免疫機構の破たん、また回復能力の不全による死因が、最も多い。

　一方では、高齢者の老衰の始まりは加齢性虚弱（フレイル）状態と筋減少症（サルコペニア）と考えられている[6-8]。段々と加齢とともに、衰弱化していくのが‘フレイル’の進行であり、それと同時に筋減少症（サルコペニア）も伴い、老化に伴って栄養や神経の加齢変化が進み、結果としてより脆弱な状態ならびに筋力が落ち、握力も低下し、筋肉量が減少する。その結果、歩くスピードも減少し、転倒、転落しやすくなる。さらに進行すると重症のフレイル状態となり、高齢者のさまざまな進行性機能低下の原因である。そして、ついには不可逆的な衰弱と筋肉量ならびに筋力の低下を伴う重症の脆弱によって老衰、また病気を持った老衰の状態を迎えて死に至ることが多い。ゆるやかな超高齢者の自然な死への経過となる。

　したがって、老衰とは簡単に言えば生体老化の現象で、全身の機能が衰え、最終的に多臓器機能不全となって死に至る。たとえ疾患を持っても、それが直接原因ではなく、それらが間接的に全身の多臓器機能不全、全身の重症なフレイル（脆弱）・サルコペニア症候群とともに、ゆっくりと死に至る。このプロ

セスを老衰死、あるいは自然死と呼んでよかろう。しかし、老衰死とされるものも、ほとんどはなんらか持っている疾患群に間接的に関連しているので、病死と考えても良いのかもしれないが、ここでは前述の厚生労働省（編）の「最新版死亡診断書記入マニュアル」にしたがう。

　聖路加国際病院の日野原重明名誉院長が、2017年7月18日に自宅で亡くなったことはメディアを通して知った。あと3ヶ月弱で迎える106歳の誕生日の前であった。死因は呼吸不全と報道されたが、おそらく'老衰死'であろうと考える。彼はこの1ヶ月間はアイスクリームなどしか喉を通らなかった。死ぬ前、17日から呼びかけに対する反応が乏しくなり、そのまま昏睡状態に、同居する次男の御家族らに見守られながら眠るような最期であったという（読売新聞）。痛みも苦しみも全く訴えず、静かに眠るように亡くなった（朝日新聞）。自然な旅立ち、'即ち老衰死または自然死'そのものであったと考えるのが普通であろう。

　私たち高齢者介護施設でみる入居者の死亡は、いろいろな死因を経験するが、全ての方々は、疾患が直接原因となったとしても、また終末期の期間や時間が異なるとしても、死のプロセスは'老衰死'に近い状態が普通である。その多くは問題もなく、眠るが如く逝く平穏死である。心配しなくても生物は全て、特に長寿したものは、問題なく穏やかに死ねるものである。しかし、急変の医療処置が必要となると、家族の強い希望で医療機関に搬送してそこで、亡くなる場合も、まだ少なくない。施設で、十分に問題がなくても必ずしも施設で看取れないことがあることは、まだ私たちの国民の多くは、本人の介入しないその家族により病院死の方向に誘導されている。

　私たちの国では、国民平均寿命が年々少しずつ延長しており、長寿によって亡くなる「老衰死」（自然死）は、超高齢化社会の到来に伴い確実に件数が増えている。既述した場所別老衰による死亡者数が、最も多いのが病院死で、その次に老人ホームとなっている。女性では、男性と異なって老人ホーム、その次が病院で、自宅が男女とも第3位である。これらの資料では、まだ日本では老衰死といえども、上述の現場での経験も含めて、医療機関で死ぬことが多い

のは考えさせられる。果たして、これで良いのであろうか。

　私たちが加齢と共に老化することは、不可抗力である。それに病もともにある。これも自然の流れで、疾病と老衰双方で段々とフレイル状態となって、死に至る。老いは縮む、ゆがむ、曲がる、ねじれる、うすくなる、減る、しわ・シミがつく、孤立、痴呆（認知症）、不安、うつ、焦燥、虐待など多岐にわたる症候群を持つ。それでフレイル症候群の最も進行した最期のプロセスを反映しており、それにサルコペニア（筋量、筋力低下）も加わり、疲労感、疲労困憊、渇水、蛋白エネルギー栄養失調、多疾患、多種多薬、認知症、老年症候群、そして廃用症候群となって死に至るプロセスである。

　老衰というのは30年前の米国では‘Failure to Thrive’、すなわち‘FTT’と呼ばれ、著者は米国で永らく数ヶ所の大学附属病院で臨床に携わっていたが、高齢者医療、高齢者ケアではよく耳にした。一人暮らしの虚弱高齢者が脱水や栄養失調などで寝たきり状となり入院した際など、私たちはFTT（Failure to thrive）と記載することが多くあった[9]。この状態を、理解することは、さらに老衰の条件がよくわかる。この国で、一時流行した‘廃用症候群’に匹敵するものである。これらの言葉は、栄養失調や認知機能低下を含む精神状態、日常生活機能が何らかの原因で低下することにより、他人や社会への依存状態が高まり、それまでの環境や社会サポートなどでは生存できなくなった虚弱進行状態である。まさに‘フレイル・サルコペニア症候群’ということになる。この‘FTT’を老衰という風に解釈した場合は、図7-1に示したように、フレイル（脆弱）で栄養失調、体重減少や身体機能の低減また機能障害（サルコペニアの進行性増悪）、基本生活日常生活動作（Basic Activity of Daily Life；BADL）が障害され、神経や精神機能低下も見られ、更年期障害、老年期‘うつ’、認知症、認知機能障害などを併発する。そして、結果的に服用薬物はますます多薬となり、効果は余り期待できず、副作用は多く、悪い相互作用も多くみられる。慢性疾患で死の原因となるのが、悪性腫瘍、心不全、腎不全、糖尿病、脳卒中（梗塞・出血）、感染症などの老年によくみられる疾患群であるが、一方では、心理・社会的死もあり、孤独、悲嘆、貧乏、虐待、無視、さらに自死などの重大な問題を抱えている（図7-1参照）。まさに、包括的な老衰の視点からの解釈である。

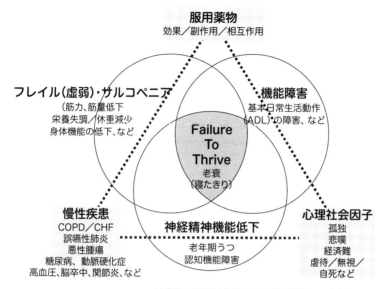

（大藏暢：高齢者を包括的に診る老年医学のエッセンス.
その 1 病気としての老衰　医学界新聞 2912 号, 2011）（一部著者改変）

●図7-1　老化に伴う Failure to Thrive の構築因子

　したがって要約すると、老衰のプロセスは安全な歩行ができ、認知機能障害はなく、その他の機能障害もない健康期から衰弱期、すなわち、プレフレイルを経てフレイル虚弱状態、それから高度のフレイル虚弱期となる。老衰初期は歩行補助具を使用し、老年期うつ、軽度認知障害から進行性体重減少になり、だんだんと悪化経過をとり、車椅子、ベッド上で生活することが多くなり（寝たきり）、くわえて中等度から高度の認知機能障害でADL障害もだんだんと増悪し、ついに終末期に至る。食事量が低下し、飲水量も低下し、脱水症状となり、栄養失調も進行し、またよく誤嚥性肺炎、尿路感染などの急性疾患を伴うことが多い。これらのステージには、生理的老化以外にそれぞれ慢性ストレスとして、難治性慢性疾患、服用多薬剤による副作用、老年症候群、心理社会的ストレスなど合併する。一方ではこの慢性ストレスにより、事故、転倒、全身的機能障害、急性疾患の併発、重症化した合併症、そして回復が遅延し、またそれらの原因でさらに老衰死は修飾される。

2. 自然・老衰死（平穏死）とそのケア

　高齢者介護施設は、介護ケアをする施設であるので、'自然老衰'は医療の対象ではないと考えるのが妥当であろう。最後まで介護ケアをする役目があり、死にそうだから病院へ送るような行為は責任の放棄と考えるので推奨されない。

　高齢者介護施設、特に、介護老人福祉施設の入居時から看取りの緩和ケアがスタートする。既述したが、その入居時の時からもうすでに要介護3以上であり、多疾患、多薬である老年症候群を持つフレイル（脆弱）・サルコペニア症候群で認知症が多い。したがって、その彼らの持つ慢性疾患、進行性消耗症、再発性肺炎は、加齢に起因することが多いが、特に認知症からくる繰り返す誤嚥性肺炎で亡くなることをよく経験する。

　入居者がどのように施設内で生き、家族とスタッフはどのように関わってきたか、最期の時にそれに凝縮され、その双方が満足するよう死に至ることを施設スタッフはサポートしなければならない。できるだけ自然に任された最期がもっとも好ましい。最後まで苦痛なく、呼吸苦なく、浮腫なく、少しでも尿が出て、平穏な死を迎えることが施設では最もよき死に方と考える。すなわち平穏死であり、ほとんどの入居者は多種疾患群を持つが、それが直接死の原因とならず、ゆっくりと時間とともに生命の最期に至る'自然・老衰死'となって欲しい。食べられなくなるのは、生物全て自然なことであり、そして飲むこともできなくなり、ついに衰弱、重篤な栄養失調をもって多臓器不全に陥り、ゆっくりと傾眠状態になり、全てが枯れていくように大往生をしていくのがよく観察される。この自然・老衰のパスは、よく観察しておれば何も経口的に欲しくなくなり、少しずつ動けなくなり、だんだんと衰弱していき、お腹がすかなく食欲不振となり、痩せ（るい痩）となり、日常生活動作（ADL）ができなくなり、認知障害もより進行する。そしてついにベッド上臥床し続け、ただ'寝たきり'になり、最期を迎えることになるは、すでに記述したが、一方で、予後の見極めの困難さとその経過の不確かさが特徴でもある。できるだけ自然の経過で、無理な延命はしないという言葉のイメージが先行して、なかなか思うようにならず、心の葛藤がスタッフ側には生じる。また、本人の意思決定はいつ、だれが、どのように行うかについては現在では、その施設入居時からアドバンス・ケア・

プランニング（ACP）（第11章参照）の導入により、このような問題は少なくなってきた。

　高齢者介護施設における医療ケアの種類では、経管栄養、中心静脈栄養、吸引（経鼻・口腔・胃など）、吸入（鼻腔、口腔、咽頭など）、気管切開、酸素療法、褥瘡創傷処置、ストーマパウチの交換、膀胱留置カテーテル、などなどがあるが、施設看護師には、これらの介入スキルが必要になる。介護福祉士も、時には介入支援が求められる。

　寝たきり高齢者の抱える問題として、拘縮が増え、筋力低下し、四肢に冷感を覚え、動けなくなり、発語できない、体温は低異常であり、嘔吐し、痰や唾液が貯留し、嚥下障害が生じ、呼吸苦があり、聴力・視力の低下もある。便秘が多く、時に下痢をし、浮腫がよく見られ、皮膚は乾燥し、失禁、尿閉もよく見られる。感染症、特に前述したように誤嚥性肺炎、そして尿路感染が多く、しかも感染症が反復する。褥瘡（床ずれ）も観察され難治性となる。医療ケアは原則として施設ではなるべく行わないので、できるだけ経口的薬物療法と、非薬物療法が主体になる。しかしリハビリは非薬物療法であり、間接／直接関節可動域運動（ROM）・ストレッチング、筋力強化、坐位・立位・歩行訓練にくわえて、必然的に浣腸、座薬、摘便、尿路カテーテル、吸入、吸引処置、時に酸素療法、そして嚥下障害では、嚥下調整食提供、末梢輸（補）液などが必要となる。

　寝たきり高齢者から見た日常生活上の苦痛も多い。自ら姿勢を整えられない姿勢の保持からはじまり、数多のケア上の問題を抱えていることは、既に述べた。一方、最後のエネルギーを少しずつ使い果たして不要なものを出して、きれいな体になっていくと考えると素直にわかり、看取りケアがしやすい。古くは、亡くなる直前に多量の尿、便が出ることが観察されると記載されていたが、このせいかもしれない。しかし、現在では実際はこのことを経験することは、まずない。それは、段々と水分を含めて経口の摂取は減少していくにくわえて、過剰な非経口的補液はしないからである。最近は、死後のエンゼルケアでは、鼻腔、口腔、肛門に綿を詰めることはしない。

　微熱が続く、何ら急性炎症がなくとも長期の慢性炎症が継続していく。悪化して特に高熱を出したり、または低温になっていく場合もある。加齢と共に老

衰になる程、自然に眠るが如く、苦痛なく逝く場合が普通であることは、何回も述べたが覚えていて欲しい。'栄養用の経鼻胃チューブ'や'胃ろう'もなく、'人工呼吸のサポート'や'酸素吸入'もなく、'経腸栄養'も、'静脈点滴'もなく、排尿用膀胱カテーテルもない全く自然の状態で老衰していくのが'最も良い満足した死に方'であろう。ある介護施設に入居していた歳老いた入居者の言葉を聞いたことがある。「ボケたり、おむつをするようになったら'人間はおしまいだ'」と言った。「'人間はおしまい'だとはどういうことか。それは人間の威厳が保てないということである。威厳というのは、その人が、人間としてふさわしい世界の顔だろう。死の受容を標榜して生きてきた人間が、人生の生活は終わったと思い、生き続けることは威厳の喪失すなわち'屈辱'である」と。スピリチュアルな苦痛に耐えられない上記の老人は、なにもされない自然死としての老衰が最も良い逝きかたと理解していたのであろう。

　平穏死を支えるためには、施設入居者に行う緩和ケアの基本である傾聴、共感、手当（タッチ）、ユーモアを家族にも適応することである。つまり家族の気持ちを十分理解し、傾聴と共感をもって、悲嘆、無力感、希望の喪失にくれた家族にも手を当て、癒しを導くようごく自然に接することが肝心である。実際には家族の看取りへの不安に対するケアとして何度でも家族の気持ちを傾聴し、タイミングを見て死前教育を行うのが良い。これも何度でも家族が理解し、受容できるまで行うことが大切となる。死は、死にゆく者にとっては解放であり、自然から生まれ、また自然に戻っていくという考え方は宗教を信じなくて、亡くなっていく人々が多い現在では、送り出す家族にも一番理解でき納得できることであろう。

3.　人間の理想的な死としての'断食往生死'

　終末期の中での絶食、断食から教えられる'断食往生'の「死」について述べる。
　断食や脱水症によって苦痛の無い死がもたらされることは、私たちは、昔から祖先の死を看取り、経験し、多くの研究がエビデンスとしても知られている[10-14]。ほぼ老衰死もしくは'自然死'はどうしてもこの'断食往生'とよく似ていて、まさにそのものである。実際、しばしばそのようにゆっくりと断食

して、ついに苦しみがなく亡くなっていくことができる。私たちの祖先が、こ
のプロセスを最も楽な死に方としてきた一つの方法でもある。自然界の全ての
生物は、そのようにゆっくりと断食して、餓死していくのが普通である。私た
ちホモ・サピエンスは、それに対しては相当修飾されることになるが、原則と
して何ら違いはない。‘絶食・断食’は古くから宗教的修行のプロセスとして行
われてきた。また、精神の鍛練する方法、精神的道標の一つの修行でもあった。
種々の慢性疾患に対する民間療法としても実施されている。くわえて、代替補
完医療としての絶食療法は十分な医学的管理のもとで行われる心身医学的療法
として、しばしば施行されてきた。各種の精神不安症、自律神経失調症、消化
器系の過敏性腸症候群、心因性嘔吐症、開腹術後の消化器障害などにも利用さ
れてきた。約10日間の絶食期と数日から10日間の復食期を設定して、断食の
3日から4日目には空腹感が強くなり、5日目からはケトン血化、それによる感
覚の変化が現れ、この際の自立訓練法、すなわち‘内観法’（純日本的心理療法の
一種、内観して自己省察する自己改善法と言われる）[15]を行う。現在も一部でこ
の方法は、執られている。

　さて、全ての治療が放棄された終末期の死へのプロセスも、また老年期の‘自
然死’もゆっくりと経口摂取の減少から絶食へのパスの中、最期を迎えるのが
人間の最も望む‘尊厳死’と言っても良いであろう。往生者が枯れ木の如く、飢
餓という自然のリズムの中で永遠の死に至るプロセスを私たちは、再び見直さ
なければならない。

　絶食死が最も自然な平穏死を導くことは、過去の私たちの先祖が行ってきた
死の流儀であることは、かつては多くの僧侶やその他の知識人がたどった最も
苦しまずに自然な死に方であった。必要となれば、現在では身体的苦痛は薬物
療法で除去でき緩和可能であるので、この併用は選択肢となろう。したがって、
このスロー絶食死（平穏死）は、現在でもこの死に方は推奨されて然るべきも
のであろう。一般的に、年をとる程このような死に方ができる。老衰がもっと
も良い自然死の例であり、眠るが如く自然に最期を終えることは、天が与えて
くれた賜物と考えている。

　ここに教えられる「アメリカンインディアンの詩[16]」がある。

もしもお前が枯葉って何の役に立つのかと聞いたなら、私は答えるだろう。

枯葉は病んだ土を肥やすんだと。

お前は聞く。冬はなぜ必要なの。

すると私は答えるだろう。

新しい葉を生み出すためさ、と。

お前は聞く。葉っぱは何であんなにみどりなの？と。

そこで私は答える。

なぜって、奴らは命の力にあふれているからだ。

お前がまた真夏が終わらなきゃならない訳は？と。

私は答える。

葉っぱどもがみな死んでいけるようにさ。

このような世代から世代へと、自然のサイクルの中でごく当たり前の自然の流れで、ゆっくりと本来の生物がとる死への道を踏襲することが、もっとも人間的（Humane）ではないのだろうか。

4. 生と死の考え方〜この宇宙で'生きて死んで逝く'サイクルの中での老衰死

　最先端の宇宙の成り立ちの事実から私たちの'生と死'の考え方がより現実的に、理解できるようになってきた。私たちが'生きる'ということ、そして'死ぬ'ということ、新しいより納得のできるコンセプトの必要性が求められる、と考える。この宇宙ができ、そしてその中で誕生して、生きて、老いて、病気になって、死んでいくこと、新しい現在に合った'死の考え方'が理解できるようになってきた。私たちは、宗教の有無にかかわらず、死ぬことは必然的であるが、何か意義があるのだろうか。

　宇宙の始まりはビッグバン、その急激な膨張、無数の核融合、極端な高温度と冷却、無数の'がれき'の融合、大小無数の星と銀河の誕生、成長し、老化し、消滅していく。そして、天の川銀河の中の一つ、太陽系惑星群の1つ地球も同じように生まれた。これら構成されたすべての恒星、惑星もいずれ輝を失って爆発か、冷却してそのまま物体となっても、いずれ消滅する。この自然の物理的'生老病死'サイクルで、私たちもこのプロセスを経て、個々の遺伝情報が次

の子孫へと伝わっていく。40億年前に生命体がこの地球に誕生して以来、多種化、それぞれ進化し、人間に近いチンパンジーから類人猿、原人、旧人、そしてついに新人、すなわち私たち現人、ホモ・サピエンスンスが誕生した。宇宙の中で生命のない物質が誕生、成長、老化、崩壊していく消滅サイクルと、私たちを含めて生命を持つすべての生き物の生老病死との類似性が確認できる。そして、その繰り返しつつ進化していく宇宙の影響下のこの自然の営みの中で私たちは生き、死んでいくことになる。

　もう少し、視点を変えて述べる。私たちの生命の誕生以来、宇宙、特に地球の構成物質である多種類の原子、元素、分子（酸素、水素、炭素、窒素、硫黄、Na、K、Cl、Mg、Ca、鉄など）、RNA、DNA、有機物（アミノ酸、脂質、炭水化物など）が構成物質としてそれぞれの形態と機能を持つ細胞、組織、そして臓器（皮膚、骨、脳、心臓など）を形成した。生命の誕生とその環境適応を通して複雑な整然とした多種生命体と進化してきた。そして、哺乳動物は、その子孫の初期生体を母体の子宮内環境で次の世代へと成長した胎児から、子宮外に誕生させた。人類の最高位の私たちホモ・サピエンスも乳児から子供、青年、中年、高齢者と死ぬまで生命は持続し、'生老病死'のサイクルの中で死んでいく。しかし、これらの新陳代謝は、全ていろいろな原子、元素、分子から成る細胞、組織、そして臓器ごとにそれぞれ機能を分担一個体として統合して、生命の維持に寄与している。したがって、このような一個体の'ホメオスタシス'が自然死ではないさまざまな急性／慢性疾患、また外傷（天災、交通事故）、自殺などにより破壊されると寿命が尽きて、死に至る。また死体は、火葬または土葬などにより遺骨を残してそれ以外のすべて個体成分は消える。地球の構成物質である元素、原子、素粒子にもどることになる。それらは、さまざまな経過を経て、再び物質となって大気内やその他さまざまな地球環境内（水、土、動植物など）に分散して、サイクリックにその合成プロセスを続けていく。個々の原子や元素が過去どのように天地、空間内を移動してきたのか、どの動物や植物の構成になったのかは全く知る由もない。したがって、私たちの生老病死の死は有機から無機へ、またこの無機から生（命）のもとの有機へと変遷していくものと理解する。

　この自然の常時変化する凄まじい現象と進化の中で、全ての生物もしくは無

生物も同じように、'生老病死'のサイクルをとってきたことは理解できよう。実に、私たちはこの壮大な宇宙の運命と一体化していて、ここに生きる、生かされている意義を見つけることができよう。私たちの命と死は、必須的に運命づけられたものであり、無二とないかけがえのないものである。

　この壮大な事実を理解することによって、私たちの'生きて死ぬこと'の不可識さ、素晴らしさ、そして運命的必然性がわかる。この宇宙のすべては、宇宙の現象にある。老衰死もこの中の一プロセスである。

5.　自然死の指示の例

　この指示については、ニコラス・オルベリー（Nicholas Albery）の著書[17]『自然死ハンドブック（The Natural Death Handbook）』に引用されていて、看取りの医師に希望を述べた事項である。外国では、指示内容が大変に個性的なことが特徴で、もっとも自分の最後の願いであるから、遠慮などしてはいられないということであろう。しかし、現在の私たちの国でも、やっとこの内容を自分の遺言、リビングウィルまた事前指示（アドバンス・ディレクティブ）として理解できる人も増えている。

1.　私が末期に至ったら、治療をやめ、死が自然に進むことを望む。
　a.　末期は、病院でなく自宅で過ごしたい。
　b.　医者の世話にはならない。医療者は、生については知っているが、死については何も知らないと思う。
　c.　死が迫ったら、室内ではなく、戸外にいることを望む。
　d.　私は食物を慎み、絶食して死ぬことを望む。
2.　私は死の過程を体験したいので、鎮静剤、鎮痛剤、麻酔薬を用いないことを望む。
3.　私は速やかに、可能な限り静かに死ぬことを望む。
　a.　注射、心臓マッサージは必要ない。酸素吸入や輸血も必要としない。
　b.　看取る人の後悔や悲しみの表現は聞きたくない。彼等とは、静けさと威厳、理解と喜びをもって、死を迎えたい。
4.　葬式と他の付随的な細部
　a.　法律が定める以外は、葬儀社やその他のプロを使わない。

   b. 棺は簡素な木製のもの。遺体には作業服を着せ寝袋の上に置く。棺の蓋の上には飾りを置かない。
   c. 火葬場で火葬する。
   d. 葬式はしない。説教師、司祭も必要ない。
   e. 火葬後に、最愛の人が遺灰を自宅の木の下に散骨する。
5. 私はこれらを、意識ある状態で記した。以上の実行を要請する、と。

　実際、著者と人生を長年ともにした妻も、苦痛除去の麻薬を含めた薬剤投与以外は、このような事前指示をして死をしっかり受容し家族、親しい友人の絆の断たれるのを堪えつつ、ついに潔く断ち切り、感謝しつつ去って逝った。そして、散骨というこの世に生きた証を残した。彼女は、2つ癌（転移性大腸癌とC型肝硬変・肝癌）の闘病中に誰に教えられたこともなく、自分で考え考え抜いた末、何の相談もなく、はっきりとこの死に方を自己選択して、70歳の一生を終えた。老衰死とはいえなかったが、進行していく治らない2重癌を抱えつつ、逃れることのできない身体的・精神的苦痛からの解放、そして自分で迫りくる死と向かい合って、魂を昇華させて逝った彼女なりのスピリチュアル的超越死であったと考える。

6. 老衰と細胞老化〜自然炎症的代謝現象として捉える

　ここで、老衰をもっと理解するために老化における細胞変化について述べる。

　2013年に東京有明医療大学の研究者が介護保険施設で亡くなった約100人の高齢者のデータを収集、分析[18]している。この研究では、高齢者の1日の摂取カロリー量とBMI（体重を身長の二乗で割った値）の変化を追跡した。すると興味深いことに毎日一定量のカロリーを摂取している高齢者は、死を迎える5、6年前より体重が減り続けていた。バランスよく健康的な食生活をし続けていたのに体重維持に結び付かなかった。この現象は実際、臨床現場では普通に経験する。上記の研究者を含めて、老衰のメカニズムをよく理解している者には、このように説明できる。「年齢を重ねるにつれて体内の細胞の活動が減り、栄養素を吸収する小腸の組織や骨格・筋肉などが萎縮する。小腸の内壁はひだ状になっており、それによって表面積が広くなりより効果的に栄養を摂取できる

ようになっている。そのひだ（絨毛）が萎縮してしまうと摂取した食事の栄養を体内に取り込めなくなり、体重も維持できなくなる。この老化していく細胞の変化が原因である」、と。

　もう少し細胞学的に述べると、老化した細胞からは炎症性サイトカイン［インターロイケン1、インターロイケン6、TNF（腫瘍壊死ファクター）-aなど］、炎症性ケモカイン［インターロイケン8、MIP（マクロファージ炎症性蛋白）-1など］、細胞外マトリックス分解酵素やSASP（老化関連分泌表現物質；senescence-associated secretory phenotype）などの生物活性物質が大量に発生する。とくに、SASP物質が細胞の外に分泌されると周りの細胞の老化を促進し、体内の各臓器や細胞が慢性的な炎症状態により、機能低下、すなわち'ホメオスタシス'の破たんを引き起こす。このメカニズムが細胞老化で、細胞が周辺の細胞にある種の分泌物を出して、さらに老化を促進する[19]。

　この慢性炎症の要因が、重要な老化原因のひとつと考えられている。たとえば、筋肉が炎症すると運動機能が衰え、肺を動かす筋肉の炎症は呼吸機能の低下を招く。骨も変性をおこし骨質量が低下し、骨折しやすくなり、運動不能になる。体重の減少も付随する。これが互いに結び付き少しずつ生命の維持を困難にしていくこととなる。

7.　尊厳死としての老衰死〜平穏死への願い

　もうすでに述べたが、生老病死の最期は平穏死、平静死、老衰死、また尊厳死などを最も理想とするもので、超高齢者には、そのような死に至るのは自然の最終的成り行きであり、全ての人間を含めた生物に可能であることをすでに述べた。しかも、この最期の迎え方は全ての高齢者が最も望むところであろう。施設では、大切なのは看取りの時だけではなく、準備は入居の時から始まっている。とくに、介護老人福祉施設では'常に緩和ケア'と言うことになる。入居者はどう生きるか、家族とどう関わるか、最後の最期にそれを凝縮しなければならない。これまでの内容で自然に任せた最期は、呼吸苦がない、浮腫がない平穏な死を迎えることができることは、十分にわかってもらえただろう。平穏死は老衰であり食べられなくなるのが自然のこと、枯れていく大往生と見なして敬意をもって自然のゆっくりとした死へのパスを寄り添ってサポートするこ

とが求められる。

　多くの研究が、断食や脱水症によって苦痛のない死がもたらされていることは、確信をもって私たちは経験する。終末期ケアとして最後1ヶ月における栄養管理、水補給を含むエビデンス[20]では、臨床意識状態は栄養状態との相関は必ずしもないが、拒食状態では5日目頃から手と足両方でチアノーゼを診る。大部分の入居者は蛋白エネルギー失調症であり脱水状態である。気管分泌物、口渇感、口腔内乾燥に水分補給、水分摂取は必ずしも相関関係はない。しかし、分泌物（喘鳴、嘔吐、浮腫）の減少に役立つ。少量の水分摂取は、せん妄の発現予防になることもある。栄養療法、水補給は臨終期の苦痛軽減生命予後に何ら役立たないことがわかっている[20]。むしろ悪影響を及ぼす可能性もある。すなわち死の苦痛を増大する。極少量の食物と水分のみでは不快感を誘発しない。すなわちゆっくり進行していく断食、断水への状態から脱食脱水往生へのパスはここにある。

　既述したが、絶食死が最も自然な平穏死を導くことが経験上よくわかっている。先人の多くの僧侶やその他知識人が辿った最も苦しまずに自然な死に方であった。幸いに必要となれば現在は身体的や精神的苦痛は薬物療法で除去できる緩和は可能である。そしてその間優しい癒しのスキンシップの非薬物療法も大切であり、より効果的相乗的な満足感のあるケアを導く。上記のような消極的緩和絶食死（平穏死）は現在でも推奨すべき死に方であろう。

　最後に、ふたたびアメリカンインディアンの老人の物語である。彼らも厳寒の厳しい冬、厳寒の雪原を移動する生活に耐えられなくなってキャンプ地に一人残って家族から与えられた食物をもって、少しずつ食事の量を減らしながら、ゆっくりと静かに絶食飢餓を迎えた。かの往生者が枯れ木の如く飢餓という自然のリズムの中で永遠の死に至るプロセスである。

【引用文献】
1. 厚生労働省（編）2019「平成31年（2019）度死亡診断書（死体検案書）記入マニュアル」(https://www.mhlw.go.jp/toukei/manual/)
2. 厚生労働省（編）2017「平成29年（2017）人口動態統計（確定版）の概況」(https://www.mhlw.go.jp/toukei/saikin/hw/Jinkou/…/index.html)
3. 厚生労働省（編）2018「老衰による死亡率の推移」(厚生統計要覧「平成30年度」第一編　人口・世帯／第2章人口動態)(https://oku.edu.mie-u.ac.jp/～okumura/python/rousui.html)

4. 厚生労働省（編）2019「人口動態調査による人口動態統計を用いた、老衰による死亡者実情を探る（2019年公開版）」（https://news.yahoo.co.jp/byline/fuwaraizo/20191217-00154081/）

5. 厚生労働省（編）2020「GemMed-2019年、日本国人口は51万超に大幅減、'老衰'の死亡率が10ポイント超増加」．（https://gemmed.ghc-j.com/?p=34327）

6. Fried LP et al: Frailty in older adults; evidence for phenotype. J Gerontol A Biol Sci Med Sci, 56(3):M145-156, 2001.

7. 佐竹昭介，荒井秀典：「特集サルコペニア〜1. サルコペニアの成因・病態・診断—サルコペニアに病態と診断」The Lipid Vol.27.No.1,11-17, 2016.

8. 佐竹昭介、荒井秀典（編）2018「サルコペニア診療ガイドライン　2018」日本医事新報社．

9. 大蔵暢：高齢者を包括的に診る老年医学のエッセンス．その1，病気としての老衰．医学新聞2912号，2011.

10. 久坂部羊（著）2007『日本人の死に時〜そんなに長生きしたいですか』幻冬舎新書（019），幻冬舎．

11. 川上嘉明（著）2014『はじめてでも怖くない自然死の看取りケア　もっと介護力！シリーズ』メディカ出版．

12. 中村仁一（著）2012『大往生したけりゃ医療とかかわるな：「自然死」のすすめ』幻冬舎．

13. 川上嘉明（著）2008『自然死を創る終末期ケア：高齢者の最期を地域で看取る』現代社．

14. 川上嘉明（著）2009『穏やかに逝く：介護で支える自然な死』環境新聞社．

15. 吉本伊信（著）2007『内観法』春秋社（初版）．

16. ウッド ナンシー（Wood N）（著），金関寿夫（和訳）1995『Many Winters Prose and Poetry of the Pueblos 1974, 今日は死ぬのにもってこいの日』めるくまーる出版社．

17. オルベリー ニコラス（Albery N）（著），中村三千恵（和訳）1994『自然死ハンドブック（The Natural Death Handbook）；上手な死に方』二見書房．

18. 川上嘉明（著）2014『もっと介護力！シリーズ　はじめてでも怖くない自然死の看取りケア—穏やか最期を施設の介護力で支えよう』メディカ出版．

19. 山越貴水：細胞老化と慢性炎症．日本老年医学会雑誌 53（2）；88-94, 2016.

20. 川西秀徳：高齢者の終末期緩和ケアのおける栄養管理．JMC72；63-73, 2010.

【参考文献】

●キケロ（著）八木誠一・八木綾子（和訳）1999『老後の豊かについて』法藏館．

●キケロ（著）中務哲郎（和訳）2004『老年について』岩波書店．

●セネカ（著）大西英文（和訳）2010『生の短さについて，他2篇』岩波文庫．

●エリクソン E.H., エリクソン J.M., キヴニック H.Q.（著）朝長正徳,朝長梨枝子（和訳）1990『老年期—生き生きとしたかかわりあい—』みすず書房．

●マズロー　アブラハム・H（著）上田吉一（和訳）1998『完全なる人間−魂のめざすもの−』誠信書房（第2版）．

●田沼靖一（著）2002『ヒトはどうして老いるのか：老化・寿命の科学』筑摩書房．

●日高敏隆（著）2012『老いと死は遺伝子のたくらみ：プログラムとしての老い』武田ランダムハウスジャパン．

Column　死に立ち向かう人々のために残しておきたい先人たちの言葉

生涯をかけて学ぶべきものは死ぬことである。　セネカ（紀元前1年頃〜65年）

孔子曰く　「いまだ生を知らず、いずくんぞ死を知らん」　論語（約2500年前　古代中国の聖人'孔子'の名言集）

人間、死ぬときは死ぬのがよい。　白隠（1686年〜1769年）

愛する者、親しい者の死ぬることが多くなるにしたがって、死の恐怖は反対に薄らいでゆくように思われる。　三木清　（1897年〜1945年）、人生論ノート

死は前よりしも来らず、かねてうしろに迫れり。　吉田兼好（推測1283年〜1352；年鎌倉時代末期〜南北朝時代）

生まれては死ぬるなりけり、おしなべて釈迦も達磨も猫も杓子も。　一休禅師（1392年〜1481年）

死を怖れもせず、死にあこがれもせずに、自分は人生の下り坂を下って行く。森鴎外（1862年〜1922年）

死ぬ日は生まれた日に勝る。　旧約聖書、'コヘレトの言葉'

どこで死が、我々を待っているかわからない。だから、いたるところでこれを待とうではないか。　モンテーニュ（1533年〜1592年）

私のお墓に佇み泣かないでください。'千の風'の一節　死んだものからこの世に残るものへのメッセージで、残る者に刻まれる詩である。　（作者不明）

死は人生の終末ではない。生涯の完成である。　マルティン・ルター（1483年〜1546年）

生死無常、死を直視し、死の苦を超えよ。　（作者不明）

Column　終末期医療の中での絶食断食療法から教えられる断食往生（死）

　断食（断食）は自律神経系ならびに内分泌系（グレリン、NPYニューロペプタイドY、ペプチン）遺伝子発現調節の異常をきたし、新しいホメオスタシスの再調整となる。絶食中の特異な意識の変容状態に患者の依存性、非暗示性が高揚し再条件付けの準備が可能となる。修行僧の往生するための心身的ウォーミングアップ断食によって身体の軽快や精神の正常化、清涼化、記憶、清らかに生きる方向へと誘導する。すなわち、覚醒化の誘導となる。

　したがって、この断食は、五感を研ぎ澄まし、集中力を高めて、我を忘れて無心、無我の状態となる。自然と一体化になるような境地、その時が、釈迦の教えの八正道の一つ、正念（サチ）であり、こころが統一され、迷いなく、心身ともに癒され、これからの生きる方向に気づき、そしてこの覚醒の過程を経験するマインドフルネス効果といってよい。

Column　老衰死の増加の理由

　老衰死の推移は、最近では人口10万人対の値は、再び上昇に転じている。平成27年（2015）は、17年（2007）から10年間で、約4倍強になっている。さらに、令和元年（2019年）では、老衰死が12万1868人で、人口10万対の死亡は98.5人で、前年2018年より10.3人増加している。

　この老衰死の増加に対して、近年の医療技術の進歩により、純然たる自然・老衰が死因となることが減少していると考える。年齢による代謝、免疫、回復能力の不全による死因は本来'老衰'とされていたが、前述したように診断上は肺炎、多臓器不全、脳疾患などの病死扱いとなることが最近では普通である。したがって、現在の老衰死が死亡診断となる頻度は、以前に比べて、少なくなっている可能性がある。

　しかし、ここ数年は、統計的に老衰死は、ゆっくりと増え続けている。やはり、健康な超高齢者の絶対数の増加に起因しているのであろう。

第 8 章

高齢者介護施設スタッフによる
緩和・終末期ケアのあり方
～多職種チームケア[1-4]

1. 施設多職種スタッフによる看取りチームケアの重要性

　私たちの国では、やっと医療機関（病院群）、高齢者介護施設、そして在宅医療各ケア分野での多職種によるチームケアが理解されるようになってきた。緩和・終末期ケアも然りである。緩和・終末期ケアの場では、いつでも、どこでも質の高い満足性のあるケアが提供されなければならない。現高齢者介護施設の看取りケアに関する問題点は、相当改善されてきた。施設介護福祉士の緩和ケアに対する姿勢と知識・スキルも、然りであるが、まだ必ずしもすべてが満足されるレベルではない。施設看護師ももっと積極的に施設入居者のための'優しい思いやりの死への看取り'に介入して欲しい。現場介護福祉士と看護師の連絡・連携も、近年相当改善してきている。

　では、この多職種の看取りチーム、この中でも特に介護福祉士と看護師の役割が重要で、私たちが納得のできるケアの提供をするには、どのようにしたらよいのであろうか。

　まず、①施設介護福祉士ならびに看護師の人間的成長と人間の基本的あり方（思いやり、共感、優しさ、利他的行動、謙遜と感謝の念など）を、真剣に日常のケアのなかで自分から意識して、多くのロールモデルとなる先輩から身をもって学び、経験し実践する成長のプロセスが必要となる。それは、いつも積極的に自己啓蒙を続けなければならない。

　②プロフェッショナルとして、緩和・終末期ケアに関するいろいろな臨床カンファレンスや教育研修会・セミナーでの学習、そして豊富なプロとしての経験を修得しなければならない。

　③次に、'第4章3節'で述べた看取りの要素は、理解され対応されているか。医学的知識、面談の仕方、カウンセリングの技術、チームアプローチとしてのそれぞれの役割、いろいろな症状、とくに疼痛のコントロールの評価とマネジ

メント、プロフェッショナル性、人間性の質、さらに医学・介護倫理などである。

　まず本人の訴えを信じ、それを具体的に分析することから始める。たとえば、痛みの病歴を取る（いつ、どこで、どのくらい、どのようになど）。それぞれの痛みを列挙し、優先順位をつける。そして、それぞれの痛みの性質、強度（量）、持続期間、経過を評価、以前のまたは現在の疼痛薬の評価、ADL（日常生活動作）への影響を評価、精神的・社会面への影響を評価、アルコールや薬物使用歴の調査、その他適切な関連検査を行う。悔いのない緩和・終末期ケアに必要な体制、本人（入居者）・家族と疼痛やその他の苦痛緩和目標をともに立てること、評価から治療への連続したケアを提供する。ケア・治療開始後、再び評価し、本人、家族、さらに進んだケアの計画を話し合うことが大切である。とくに施設では、家族の介入が、とくに求められる。

　緩和・終末期寝たきり高齢者の日々の生活を支えるケアは、まず'人間らしさ'を支えるケアでなければならない。親しみと優しさが大切にされている感覚を持てるようにすること。心地いい、気持ちの良い穏やかな、幸せな生活を送れるようにすること。その生活リズムを整えるための具体的なケアの一つひとつを丁寧に提供し、好きなものを少量でも口から食べて味わってもらう。そして楽しむ。不快な苦痛なく排泄する。身体を清潔にする。安楽な姿勢、体位で過ごすことができるようにする。そうすることが24時間、心地よく安楽に過ごせることを保証するばかりでなく、新たな苦痛の予防にもつながる。どんな時、どのような状況でも、こぎれいで清潔にし、身だしなみを整えるケアを行うことで、入居者の尊厳が保持できる。

　身体的苦痛の予防、緩和として、侵襲が少ないケア、治療を選択し、起こりうる苦痛を予測して、その対策をすることも大切である。さらに、生命を維持するケア、すなわち、呼吸、循環、体温、食事、排泄などの援助をし、適切な医学的介入も基礎的評価項目として含まなければならない。

　④施設緩和・終末期ケアが提供されるケアと治療の手順である。それは、施設入居者あるいは家族毎に応じて、十分な個別面談の上で計画立案［アドバンス・ケア・プランニング（ACP：第11章参照）］をすることから始まる。入居時から家族と施設ケア提供者によって大切な人へのケアを提供するように、綿密な計画を立てる。痛みなどを含む苦痛となる症状は、適切な介護ケアと治療で

緩和する。提供したケアと治療については適切に記録する。特に終末期は、症状緩和を徹底的におこなった上で、施設入居者と家族がもつ身体的、精神的、社会的、スピリチュアル的なニーズを確かめて、誠実に対応する。さらにその家族が、施設入居者と死別した直後から、強い悲しみのために日常生活が普通に送れない状態になった場合、適切なグリーフケアとしての思いやり、共感を伝え、癒し、慰め、そしてアドバイスを与えなければならない。施設ではまれと考えられるが、医療の専門家（精神科医、心療内科医、カウンセラーなど）を必要時には紹介するのも良い。

　⑤つぎに、この施設緩和・終末期ケアを提供するチームを十分に把握して、お互いに意思の疎通をして、チームとして包括的に入居者の全ての苦痛緩和ならびに終末期看取りケアを行う必要がある。これには、死後の遺体の処置、施設エンゼルケアも遺体への敬意、ケアの最後の総括として含まれる。

　⑥施設緩和・終末期ケアを提供する場所の如何（いかん）に関わらず、入居者と家族を中心として医師、看護師、介護福祉士、管理栄養士、リハビリセラピスト／柔道整復師、管理栄養士、ソーシャルワーカーなどの専門職と、もしいればボランティアで形成されるチームの構成員は、それぞれの役割を尊重し、対等な立場で意見交換をする（図8-1参照）。そして、施設緩和・終末期ケアの目的と理念を共有し、お互いに支え合う。チームの構成員は、教育カリキュラムに基づいた計画的プログラムの下で研修を受けることも必要である。継続的評価によってチームのプロフェショナルな成長と密接な協働作業（連携）を図ることが強く推奨される。

　ボランティアについては、チームの一員であり、大切なケアの提供者と考える。ボランティアは自由意志によってチームに参加する。チームにおける役割を明確にした上で、それに見合った応分の責任を果たす。そして、ケアの質の評価と改善につなげる。

　⑦看取りチームが提供するケアと治療およびチームの介入のあり方については、継続的かつ包括的に評価して、見直しを行わなければならない。評価と見直しは、自施設の評価共有プログラム、第三者評価、家族による評価などの多面的な評価をチームとして自主的におこなう。

　⑧最後に、現介護施設人材配置基準の再検討である。特に大部分の入居者が

何らかの医療を必要とする要介護3以上の介護老人福祉施設は、中等度以上の認知症、内科的多疾患が入居時は勿論、その後も経時的に増悪し、ケアの人的サポートがより濃厚になる中で、毎日のケアに数と質の双方を欠くことがよく見られ、特に介護福祉士の数が足らないところから解消しなければならない。この数を修正することが、自らケアの質を挙げる要因の一つとなる。

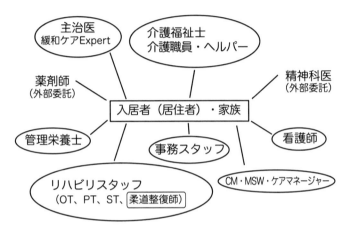

●図8-1　施設緩和・終末期ケアにおけるチームアプローチ（著者作成）

2. 多職種スタッフの個々別の役割

　この節では、施設での多職種スタッフによる緩和・終末期ケア関連業務ばかりでなく、日常の一般的業務についても述べる。

（1）医師の業務

　施設看取り期の診断、また家族へのインフォームドコンセン（同意書）、アドバンス・ケア・プランニング（ACP；いわゆる人生会議）、緊急時と夜間帯の対応と指示、そして各医療機関との連絡調整などである。施設緩和・終末期ケアにおいては、この高齢者介護施設医師が中核として介入するのがよい。したがつて、施設医師は包括的全身的看取り管理ができなければならない。

　介護施設医師の役割としての業務内容を、表8-1にまとめた。健康管理をし、緊急時対策もたて、介護、医療事故の防止にも尽力し、看取り介護・医療（入居時からの緩和ケアから終末期ケア・看取りまで）も、入居者本人、家族との合

●表8-1　高齢者介護施設医師の業務

①健康管理
　　高齢者関連疾患（生活習慣病を含めて）の予防と治療
　　身体・精神症状の軽減（健康保持のための特別処置）
　　看護師による薬剤管理の指導と監督
　　医療・衛生指導（感染管理）
　　口腔ケア・嚥下・栄養管理（予防・治療の指導と参加）
　　入所者定期健康診断（年1回）
②緊急時（急変時）対策 ～臨時の往診および処置
　　急変時処置（救命救急カートの整備、スタッフ急変時対応教育）
　　協力医療機関（指定病院）への救急搬送システム整備／調整
　　　　　　　　　　　　　　　（情報提供書の作成と搬送手配）
③介護・医療事故防止（施設内介護・医療安全対策）
　　施設内介護・医療安全対策委員会の充実、特に転倒転落・誤薬予防
　　施設内感染管理サポート（冬期は、インフルエンザ、ノロウイルス腸炎、
　　夏期は、食中毒、O157関連急性感染性大腸炎、その他四季を通して結核、疥癬症などは特に
　　注意が必要）、その他のエンデミック／パンデミック感染症
④看取り介護・医療（「ターミナルケア」から「看取り」まで）
　　利用者本人、ご家族との合意、信頼できるコミュニケーション（同意・説明責任）
　　事前看取り計画（アドバンス・ケア・プランニング）（ACP）の主導的役割
　　～事前指示（アドバンスディレクティブ；AD），リビングウィル（LW），生命維持治療に
　　関する医師指示書（POLST）
　　看取りのケアガイドラインの作成とその実践
　　実践的スタッフ研修・教育セミナー
　　評価システム
　　死亡確認と死亡診断書作成
⑤認知症のケア対策
　　認知症診断と治療
　　認知症臨床教育セミナー
　　認知症利用者の介護・看護ケアの非薬物技法の導入（コミュニケーションも含めて）
　　　　　　　　　　～バリデーション・ユーマニチュード実践指導
　　ケア評価システム
⑥予防接種（インフルエンザ A・B、肺炎球菌ワクチン（ニューモバックス））
⑦介護保険申請・更新、主治医意見書
⑧介護・看護ケアの在り方と評価の指導と参加
　　新ケア技術の導入
　　統括管理・研修教育システムサポート
　　満足度調査
　　高齢者介護施設における最も重要な医療・介護ケアの指導と実践参加
⑨高齢者介護施設リハビリテーション（認知症予防・非薬物リハビリ、介護予防リハビリ、緩和
　　リハビリも含めて）の指導と実践参加
⑩ 上記以外の施設内各委員会／チーム活動の指導と参加

（著者作成）

意を信頼できるコミュニケーションで確認し、説明責任を果たし、主導的に関わりを行う。認知症ケアの対策も、特に求められる。くわえて、予防接種、介護保険申請、更新、主治医意見書作成、介護・看護ケアのあり方とその評価の指導と参加、高齢者介護施設リハビリテーション（認知症予防リハビリ、介護予防リハビリ、緩和・終末期リハビリも含めて）の指導と実践に参加する。さいごに、施設内各関連委員会チーム活動の参加と指導が求められる。

　高齢者介護施設での看取りに関する同意書として、施設医師がリーダーのケア提供者側からACP関連書類（AD、POLSTなど）（後述）が予め作成されていなければならない。著者が使用している「看取りのACPでの同意書」を表8-2に示した。参考にすると良い。この同意書を基に、著者が配置されている介護老人福祉施設では、まず終末期の始め（通常、死亡予測の1〜2か月前）に、直接本人・家族代理人または、後者と担当ケア提供者の間で、この看取りACPの面談が行われる。この際、医師が司会をして、本人・家族、または家族と多職種介入スタッフとともに、このACP同意書を作成する。その内容に相方とも同意して情報を共有する。その直後、このACP同意書に準じて施設での看取り書類を完成させる。このACP面談は、亡くなるまで必要ならば、数回おこなわれる。

（2）看護師の業務

　施設看護スタッフは、家族介護・医療との連絡体制を強化し、ステージごとの医療的看護ケア（毎日回診、医療処置、薬物管理など）、家族と施設医師、関連職員へ当緩和・終末期入居者の状況報告、協力病院と連携・連絡体制強化、苦痛緩和に関する介護職員への周知を徹底し、緊急的対応（24時間連絡体制）にも、施設医師とともに中心的役割を演じなければならならない。ケアプラン（ACPも含めて）に沿ったカンファレンスへの出席、緩和・終末期看護ケアの実践、介護福祉士・管理栄養士・セラピストなどの座学教育・現場実践的指導、コンサルテーション業務、ケアの評価などにも介入する。看取りケアのモニタリングをし、死後のエンゼルケア、グリーフケアにも担当介護福祉士とともに介入する。さらに、施設内グループ／診断トピックセミナー、学会、地域セミナー報告、臨床カンファレンス出席、各委員会活動、記録保持などが業務とな

●表8-2　看取りのACP（いわゆる人生会議）での同意書

ACP（人生会議）　　施設での看取りに関する同意書（#　　　）

入所者氏名＿＿＿＿＿＿＿＿＿＿＿＿

◇　本人及び家族の希望する治療

（1）死に対しての思い 自分の最期をどのように迎えたいか（ご本人または、ご家族の現在の思い）			

	病院への受診・入院	希望する	希望しない
（2）病気の進行により、食事摂取が困難な時	施設内で可能な範囲の鼻経・胃接続続チューブ挿入・経腸栄養	希望する	希望しない
	施設内で可能な範囲の点滴加療(静脈・皮下)	希望する	希望しない
（3）食事摂取が困難になった際の胃ろう増設		希望する	希望しない
（4）酸素濃度が低い時の酸素(鼻腔カニュレ・マスク)の使用は原則としてしない。但し、呼吸困難で苦痛と医師が判定した場合は投与。		希望する	希望しない
（5）状態悪化時の救急搬送		希望する	希望しない
（6）救命救急の際の心・肺マッサージなどの蘇生		希望する	希望しない
（7）当施設での自然な看取り（原則として強制経口摂取・経鼻胃チューブによる水分、栄養補給はしない。薬物投与、酸素吸入、吸引/ネブライザー、点滴、筋注、皮下注なし）、但し 苦痛の際には酸素・薬物・点滴(静脈・皮下)・吸引/ネブライザー療法、お楽しみ程度のゼリー食/トロミ茶摂取の提供		希望する	希望しない
（8）追加説明事項：ご本人／ご家族の希み〜 施設 緩和・ターミナル介護 ： 説明　頭部 30° Up(原則として)、口腔ケア、体位交換、皮膚管理、全身/部分清拭(本人の希望、安全性を考慮して、シャワー、つり挙げ式入浴)、ベッドエアマットレス、排泄管理(オシメ、パンツ、適切着用を含む)、身体及び衣服、身の回りの清潔保持、その他：精神的、心理的支援、個室の用意、付き添のための配慮、愛着ある物や、写真の持込みや親しみのある音楽等への配慮、etc.		希望する	希望しない

●表8-2 （つづき）

施設 緩和・ターミナル栄養：|説明| 栄養評価(　　　　)、簡易ベッドサイド嚥下テスト(評価　　　)、摂食姿勢(　　　)、食事形態(　　　)、内容(　　　)、嚥下調整食(　　　)、直接・間接テスト、全身栄養管理 経口摂取：禁止 許可：経口摂取制限〜	希望する	希望しない
施設 緩和・ターミナルリハビリテーション：|説明| ベッド上体動(寝上がりから起き上がり)、坐位、立位(起立)、移乗(　　　)、移動(室内、屋外)、マッサージ、ストレッチング、関節可動域、筋力、巧緻、バランス、体幹機能向上、装具着用、床上動作、呼吸リハ、ADL評価と介助(援助)・維持訓練(トイレ、更衣、食事、整容、入浴)	希望する	希望しない
その他：家族等と共に納得と満足のできる看取りが行われるための全面的支援,頻回の訪室	希望する	希望しない
死後の処置に対する家族等の希望；エンゼル処置,残された家族等の心理的苦痛に対する精神的ケア(グリーフケア),その他：	希望する	希望しない

（９）当施設における'その人らしく'意思及び人権を尊重した自然な看取り介護・医療についての要約
　①平成　　年　　月　　日をもって、医療機関での治療等、ご本人に苦痛を伴う処置及び延命治療は行いません。また、危篤な状態に陥った場合でも病院への搬送は希望しておらず、当施設にて最期を看取ります。
　②ご本人の意思及び人格を尊重し、身体的、精神的援助を行います。
　③医師への相談及び指示を仰ぎながら、可能な限り苦痛や痛みを和らげる方法で、看取り介護を行います。
　④ご本人ご家族の希望に沿った対応に心がけ、情報の提供と共有に努めます。
　　但し、ご本人ご家族の希望、意向に変化があった場合は、その都度対応を見直すとともに意向に従い援助させて頂きます。

希望する	希望しない

以上

（10）　私は、　　　　　　　　（入所者氏名）の看取り介護・看護・医療ケアについて、医師の説明と特別養護老人ホーム（施設名.　　　　　　　　　）の看取り介護指針に基づく対応について説明を受け、私どもの意向に沿ったものであり、上記の内容を確認し同意いたします。

　　　　　　　　　　　　　　入所者名＿＿＿＿＿＿＿＿＿＿　　印

　　　　　　　　　　　　　　家族等名＿＿＿＿＿＿＿＿＿＿　　印

　　　　　　　　　　　　　　記 入 日：　　年　　月　　日

　　　　　　　　　施設 緩和・ターミナルケア医師　　川西　秀徳　　印

（著者作成）

●表8-3　施設看護師の業務

QOL（生活の質）・QOC（ケアの質）→ QOD（看取りの質）；癌 / 非癌患者

1) 連携・協働（チームケア）：入所（利用）者、家族、医師、看護師、介護福祉士、ヘルパー、リハセラピスト、管理栄養士、ケアマネージャー、薬剤師、など
情報の共有化　（病院 ⇄ 施設・在宅）
2) 診療所、医務室の運営・管理
3) 実践的ケア・サブリーダー教育的役割と看護・介護ケアの実践
看護ケア・相談支援的役割〜入所者、家族へのケア　入所者と家族が納得できる方向に導く
多職種調整的役割
直接看護ケアによる役割
二次的合併症、薬剤副作用の予防、早期発見〜対策とケア
慢性疾患の管理、合併症の管理
老年症候群の予防と遅延、そして看護ケア
フレイル・サルコペニア症候群の予防と遅延、そして看護ケア
医療・介護ケア事故防止（転倒・転落、誤嚥など）、感染管理
介護ケアの介助（食事、排泄、更衣、整容、口腔ケア、体位交換など）
4) 入所・退院時 Review 多職種カンファレンス、定期的・随意ユニットカンファレンス、各施設運営関連委員会
5) 医療処置を必要とする看護スキル
　　人工呼吸器、器管切開、鼻胃チューブ栄養
　　胃瘻、腸瘻、腎瘻、膀胱瘻、中心（ポートも含めて）・抹消静脈栄養、持続皮下補液、輸血、褥瘡　など
　重症臓器不全に対するケア
　　呼吸不全、肝不全、腎不全、心不全　など
　重症栄養障害−全身浮腫、蛋白栄養失調症、カヘキシア（悪液質）　など
　認知症ケア
　急変時ケア
　　転倒・転落、誤嚥（窒息）、高血圧症、脳症、急性脳卒中、重症感染症、急性冠動脈症候群、けいれん、昏睡、せん妄、急性代謝障害（低血糖、高血糖、電解質異常、酸塩基異常　など）
6) 施設生活リハビリテーション
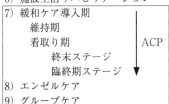
7) 緩和ケア導入期
　　維持期
　　看取り期　　　　　　ACP
　　　終末ステージ
　　　臨終期ステージ
8) エンゼルケア
9) グループケア
10) 施設内・外での専門プロ教育セミナー（研修）に参加、自己学習・啓蒙

（著者作成）

る。高齢者介護施設の看取りにおける看護師の業務は、表8-3に要約したように広範にわたる。

（3）介護福祉士の業務

　施設介護職員の業務として、まずは入居者包括的状態把握の確認、報告、連絡、相談と介護ケアの提供である。医師、看護職員、相談員、管理栄養士へ連絡、面談の必要性についての説明、相談し、状況を観察し、食事摂取量を把握し、介護ケア提供の責任、ユニット・フロア・ケアリーダーとしての包括的管理、同僚介護職への伝達・連絡などが求められる。介護計画書や現状報告書を作成し、入居者・家族の希望を確認し、施設での介護体制を説明、協力依頼、連絡体制などを確認する必要がある。緩和・終末看取り期を通して、APCに参加する。また、施設運営・質改善委員会、事故防止対策委員会、安全衛生委員会、栄養委員会、感染対策委員会、レクリエーション委員会などの重要な構成員であり、介護ケアの一貫性・倫理性の評価、そして迅速な連絡体制の確認をする。

　状況の観察（たとえば、看護スタッフからの指示にしたがって身体的観察点の確認）と判断、そして対策、さらに、関連職スタッフとの情報交換、介護職全体への連絡、細かなケア記録、看護スタッフ／フロアリーダー／介護責任者へ情報状態を申し送る。看護職との状況共有、環境整備、事故予防、そしてリネン類清潔保持が常時維持されていることが必要である。

　居室の物品・荷物の整理・移動（個々の入居者のなじみの品物や写真など、衣服類の整理も含めて）、環境整備、家族のベッドの用意など、霊安室の準備をし、花の用意、食・経口薬剤止めの連絡、死後の処置（施設エンゼルケア、家族の死前・直後のグリーフケアなど）、義歯の確認、さらに見送り、状況に応じて家族の葬儀準備への支援、後の葬儀参列、死後定期的フォーローアップ・グリーフケアなどがある（表8-4）。

　とくに、介護老人福祉施設では、介護福祉士の数が一番多く、24時間体制の現場ケアは、彼等に任されているので、以上の業務が施設包括的ケアの中核となっている。看取りケアはこの中に含まれ、全ての業務と直接・間接的に関連している。施設介護福祉士のプロフェッショナリズムとしての姿勢と行動が最も重要である。

●表8-4　施設介護職員の業務

QOL（生活の質）・QOC（ケアの質）→ QOD（がん／非がん入居者の看取りの質）

1) 状態把握、観察、確認・伝達　（看護職員からの指示に沿って観察点の確認と介護職員全体への連絡・伝達、関連職種との情報交換など）＆各施設ケア／運営委員会への出席
2) 看護職員、相談員、管理栄養士への連絡・面談の必要性について相談
3) 食事摂取量の把握
4) 介護日責者、フロアリーダー、看護職への連絡
　　現状報告書作成、細かなケース記録、など
5) 家族の希望を確認
6) ホームでの体制を説明・協力依頼
7) 対応方法の統一、確認対応方法、連絡体制の確認、ACP（人生会議）への参加、など
8) 看護職員、フロアリーダー、介護責任者へ状態を申し送る
　　看護職との情報共有、など
9) 環境整備（家族のベッド用意、居室の移動、馴染みの品物や写真等の整理、など）
　　リネン類清潔保持
　　品物や写真等の整理
　　霊安室の準備
　　花の用意
　　食事止め連絡
　　花の用意
　　義歯の確認　　など
10) 死後の処置（エンジェルケア，死直後のグリーフケア、など）
　　見送り
　　状況に応じて葬儀へ参列、フォローアップ定期的グリーフケア、など
11) 施設内・外での専門プロ教育セミナー（研修）に参加、自己学習、啓蒙、など

（著者作成）

（4）その他

　施設管理栄養士は定期的栄養評価を施行し、施設ケアスタッフと共有し、適切な栄養療法を施設医師の指導下で導入する。体調と嗜好に応じた食事の提供、食事摂取の状態の確認、食事内容の対応と説明をする。そして、ケアカンファレンスに参加、入居者の栄養視点から体調に応じた嗜好を重視した食事の提供（特に看取り終末期は一口でも安全な嗜好の温かいスープ、プリン、ゼリー、アイスクリームなどを考慮）、必要時の食事止め、さらに、嚥下障害をもつ緩和・

●表8-5　施設生活相談員（ケアマネジャー）の業務

1) 状態観察把握
   家族連絡、相談、各部署との情報共有
   面談日時調整、各部署へ連絡
   現状報告書作成依頼、など
2) 面談時記録作成
   夜間緊急対応マニュアルの更新、など
3) ケアカンファレンス、ＡＣＰ（人生会議）への参加
   面談内容の報告
   ケアの検討と確認、など
4) 家族連絡・相談
   家族の思い再確認
   家族連絡・相談
   家族の食事確認、栄養課に食事提供依頼、など
5) エンゼルケア施行の確認
   霊安室の準備
   花の用意
   死亡診断書を家族へ渡す
   入居契約の解約手続き
   遺留金品の引渡し
   未支給年金等の手続
   葬儀の確認
   相談対応
   施設での見送り
   状況に応じて葬儀へ参列、など

（著者作成）

●表8-6　施設リハビリテーションセラピスト（PT、OT、ST、柔道整復師）の業務

1) 生活（ADL）リハビリテーション（ベッド上体動、坐位、移乗、立位、移動（室内、屋外歩行を含めて）、排泄（トイレ）、食事、入浴（清拭）、整容、更衣、など
2) 個別リハビリテーション～ストレッチング、マッサージ、関節可動域運動、筋力維持・強化、巧緻、バランス、体幹機能向上、床上動作、呼吸リハ、リンパ浮腫リハ、補助装具の適応・評価・調達・着用指導・管理、ADL評価と訓練、など
3) 集団生活リハビリテーション
4) 特別リハビリテーションプログラ～転倒予防リハビリ、認知症予防リハビリ、呼吸リハビリ、緩和・終末期リハビリ（個々別に緩徐に消極的・他動的に優しい思いやりのストレッチング、表在性スライディング・マッサージ、体幹変位、上下肢の関節可動域運動など、安楽とリラクゼーションを目的に施行）

週３回以上各種リハビリテーション並びに補助装具の利用（少なくとも１回１～２単位以上；20分／単位）または、随意

（著者作成）

終末期の入居者が多いので、施設医師の処方による嚥下調整食とその食べ方に精通していなければならない。施設での死後の見送りと状況に応じて、葬儀への参列も求められる。

　生活相談員（ケアマネージャー）の必要業務事項については表8-5に示した。施設リハビリセラピストの業務内容も表8-6に要約した。特に、緩和・終末期ケアでの適切な個々別緩和リハは、症状緩和に効果が期待できる。

　施設多職種による緩和・終末期のケアで忘れてはならないのは、家族の役割で、施設関連職員は、家族が下記のことが、できるようにあらかじめ、家族との連絡を密にして準備をし、可能な限り実践する事が求められる。

　家族間での意思ならびに希望を確認すること、ACP／ケアカンファレンスに参加すること、できる限りの最期の入居者と家族に付き添うこと、希望により家族と死後の処置（エンゼルケア）を一緒に行うこと、そして葬儀社との連絡調整と退居手続きと移動の手配、荷物の受け取りも支援することである。

　最後に、施設長は、看取りケアの責任者として、本人、家族へ当施設の看取りケアの理念、方針を入居時と入居中の終末期前の適宜の時に説明する。看取りケアの実施状況の確認と評価をし、それを求められれば公開し、必要であればそれに対する対策を施設のスタッフと話し合う。

(5) 施設での看取りなどに関する調査用紙

　他の施設も同様と思うが、著者の介護老人福祉施設では、全ての入居者は、入居時に家族（意思決定代理人）により記入される本人および家族の希望する急変時と終末期ケアの治療範囲を書類化している。この'施設での看取りなど関する調査用紙'には'下記の項目についての　希望する vs 希望しない　が簡易に記載される。

1) 食事摂取が困難な時、a. 病院へ受診・入院、b. 施設内で可能な範囲の鼻腔や胃接続チューブ挿入・経腸栄養、c. 施設内で可能な範囲の点滴加療
2) 食事摂取が困難になった際の胃ろう増設
3) 酸素濃度が低い時の酸素（マスク）の使用
4) 状態悪化時（または急変時）の救急搬送
5) その際の心マッサージなどの蘇生

6）当施設での看取り

7）当施設での看取りを行う際のa.酸素療法、b.薬物療法、c.点滴療法　の希望

8）当施設以外での看取りの希望

そして、9）'自分（入居者）の最期をどのように迎えたいか'について、本人また家族の現在の思い、希望する治療についての彼ら自身による記載をお願いしている。

　この調査用紙は、すべての診療録のフロント頁に綴じられている。記載内容は、入居後の緩和期ACPにより修正、具体化されていく。

3. '多職種緩和・終末期ケアカンファレンス'の重要性、その進め方と留意点
（図8-2参照）

　このカンファレンスは、多職間の個別的ケアの目的、計画、実践おいて意思と理解の疎通を図って、お互いに協働してケアの質を挙げることにある。この行為は、後に述べるACPの範疇にもなる。

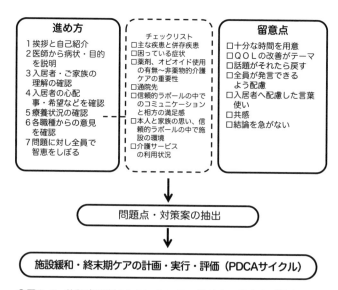

●図8-2　施設多職種カンファレンスの進め方・留意点（著者作成）

　まず、①進め方は、挨拶と必要ならば自己紹介から始まり、カンファレンスの目的を説明する、②医師より病状説明、③入居者、家族の病気に対する理解の確認、④入居者の心配や困ったこと、希望などを聞く、⑤家族と'療養環境、介護サービスの利用状況' を確認する、⑥各職種からの意見を聞き、⑦問題点については全員で話し合いの上、対策を決める（3から7番の順番はカンファレンスの状況に応じて変えても良い）。

　留意点としては、十分な時間を用意し、QOL（生命・生活の質）とQOC（ケアの質）の改善がテーマの話題から逸れたら戻すよう、また全員が発言できるように配慮し、入居者への配慮した言葉遣い、共感、思いやり、優しさ、そして結論を急がないことである。さらに、上記、QOL、QOCと重複するが、QOD（死の質）も十分に考慮して、ケアを提供しなければならない。

　チェックリストとして、主な疾患と併存合併疾患、困っている状況、症状、薬剤（オピオイド使用は、施設ではまれである）、通院先、本人と家族の思いならびに施設環境、コミュニケーションの質と内容、介護サービスの利用状況などを考慮に入れて、問題点、対策案を抽出する。その結果に基づいて、これからの緩和・終末期ケアの進め方は、導入から始まって、進め方をその都度、経過中に意思を疎通し、業務改善評価に結びつける。

　看取りに関する職員教育は常時、定期的に施行する。高齢者介護施設では、それぞれの看取り介護と看護の目的を明確にし、死生観（学）を教育し、その理解の確立を図らなければならない。①看取り介護の理念と理解、②死生観（学）の教育、死へのアプローチ、③看取り期に起こりうる身体的、精神的変化への対応、④看取り期の夜間急変時の対応、⑤看取り介護施設チームケアの充実〜たとえば、看取りにおける看護職の介護職に対する連携の評価は、表8-7の尺度項目21項目が参考になる。この尺度は、看護職員、介護職員ともに連携していく指針にもなるので適用すると良い。また双方にとって各項目を吟味し、ケアの改善に繋げたいものである。

　⑥看取り中とその後の家族への援助ケア方法、そして⑦看取り介護・看護についての検討会などが含まれる。

●表8-7　施設看取りにおける看護職の『介護職に対する連携能力』の尺度項目（21項目）

【恐れる心を支える】

a1　介護職の看取りに対する不安や恐怖心を理解している

a2　自分自身も特養での看取りに不安や恐怖心を感じたことがある

a3　介護職の不安を軽減するために介護職に入居者の死を受け入れるように話している

【対話を紡ぐ】

a4　介護職の不安な気持ちや質問にはできるかぎり答える努力をしている

a5　生活支援の専門職である介護職のプライドに配慮しながら話している

a6　介護職との話し合いでは互いに意見を出し合い、介護職の意見を尊重しながらまとめている

a7　介護職との意見の相違にも目を向け、相違点についてよく話し合う

a8　介護職との意見交換をするにあたって、看護職同士でも必ず方針確認をしてから話し合う

【医療面での補てん】

a9　介護職に医療行為を指導する場合、介護職それぞれの経験や能力を理解するようにしている

a10　介護職に医療行為を指導する場合、自分の看護経験を活かしてアドバイスしている

a11　介護職に医療行為を指導する場合、できることはどんどん実践させている

a12　夜間、看護職が不在のため、点滴など医療行為はできるかぎり日勤帯で済ませる工夫をしている

【看取りに向かう】

a13　看取りの実践では、介護職とケア目標を統一して行っている

a14　看取りの実践では、介護職といっしょに行動することで効率のよいケアが提供できる

a15　看取りでは、入居者の笑顔や状態の回復がケアのやりがいとなっている

【手探りのケアプラン】

a16　入居者のニーズを把握するために、生活支援者である介護職からの情報を大切にしている

a17　入居者に対して、自分の身内のように親身になって入居者の思いを理解するよう努めている

a18　看取りでは、入居者の生きる楽しみにつながるケアを介護職とともに試行錯誤している

【看取る力の向上】

a19　介護職は、看取りの実践を積み重ねることでスキルアップしていく

a20　介護職は、看取りの実践を積み重ねることで、看取りへの積極性や主体性が芽生えてくる

a21　看護職も介護職とともに看取り経験を積み重ねることで、看取りの質が向上する

大村光代：特別養護老人ホームの看取りに求められる介護職に対する看護職の連携能力の因子構造　日本看護研究学会雑誌　36：47-53、2013

【引用文献】
1. 大村光代：特別養護老人ホームの看取りに求められる介護職に対する看護職の連携能力の因子構造. 日本看護研究学会雑誌　36: 47-53, 2013.
2. 全国老人福祉施設協議会（編）2015『看取り介護指針・説明支援ツール（平成27年度介護報酬改定対応版）』全国老人福祉施設協議会.
3. 全国老人保健施設協議会（編）2015『介護老人保健施設 在宅支援推進マニュアル総論. 入門編』　ベルタスクレオ.
4. 全国老人保健施設（編）2000『介護老人保健施設看護・介護マニュアル』　厚生科学研究所（改訂版）.

Column　施設での寄り添うケア

　一人ひとりに寄り添ってケアをしていくことが大切である。終末期施設入居者の状態にしっかり目を向けること、彼等の状態からその気持ちを思いやること、その気持ちや思いに沿って声掛けをすること、タッチングやハグによって'気持ちに触れて'関わること、彼等の体験の内容に踏み込んで、共感的理解の声掛けを行うこと、安心感を引き出す声掛けを行うこと、そして彼等の変化をしっかりと確認することであろう。

　くわえて、介護、医療従事者の基本姿勢として、緩和・終末期施設入居者には、癒し、優しさ、信頼、安らぎ、生きがい、そして生きる価値と明日への希望へのケアを忘れてはならない。

　この基本姿勢は、全ての入居者の看取りには必須なので、このような姿勢で臨むことがもとめられ、またそのような教育も必要となる。ただ、介護ケアの人数が問題で、普通の規定された定員では足りない。上記のようなケアには、どうしても制限がある。最大の原因は、ケア提供者の絶対的不足で、外人介護ケア提供者をいれてもまだ足らない。ただ、ただ、私たちは、現スタッフで、できるだけのことを誠実に実行することとなる。

　でも、この姿勢は、私たちが、どのような環境でもこれに準じなければならない。

第 9 章

緩和・終末期の
医療ニーズに必要な処置

　看取りケアの実施には医療の連携が非常に大切である。高齢者介護施設には介護保険適応の介護老人保健施設と介護老人福祉施設がある。前述したように、前者は要介護1以上の介護を受けながらリハビリをして、在宅復帰を目指すケアが主目的であり、後者は原則として要介護3以上ということで中等度以上進行したフレイル（脆弱）・サルコペニア（筋量と筋力低下）状態で、すべての人が何らかの慢性多疾患をもち、しかも多薬剤が投与されている場合が一般的である。しかも、主に施設での看取りを通常、前提としている。

　さて、症状からの解放は、必須となる。一般的に身体評価は、症状の評価から始まる。私たちがしばしばみる症状、特に終末期（エンド・オブ・ライフ；EOL）に見られる症状として、既述したがもう一度記憶を新たにしよう。それらは、いろいろな程度の痛み、堪えがたい疲労感、高度の食欲低下にくわえて、急性尿閉、尿路感染による発熱、頭痛・意識障害を伴う脳圧亢進、ミオクローヌス、けいれん発作、最期の日々における重度の息切れ、死前喘鳴、気道の感染による発熱と呼吸苦、肺水腫による呼吸苦、胃内容の逆流による嘔吐と誤嚥、死に間際の騒々しい頻回の呼吸による呼吸苦などは、終末期の急性の出来事として、薬剤による治療が必要になる場合が多い。そして、薬剤以外の非薬物治療も迅速に症状緩和のために積極的に導入しなければならない。

1. 医療処置

　各施設診療所、または医務室では、医療関連備品ならびに常備薬剤を最低限に整備する。

　医療関連備品は、一般的に使用される備品でよい。安価な体組成計、立位身長計測器と体重計、車椅子乗車体重計、体温計、一般血圧計、指先動脈酸素飽和度測定器、ポータブル心電図計、可能ならば携帯用多目的エコー診断器があ

れば、特に問題はない。著者は、個人で購入した汎用ポケット型超音波診断装
置、Dual （Sector & Linear） Vscan　EXtendR2（GEヘルスケア・ジャパン）を
必要時、ユニット訪問診療に使用しているが、大変に役にたつ。

　その他の全ての診断、治療装置検査は外注となる。著者は、施設医療処置は
できるだけ安易な医行為をモットーとしているが、医療療養型病院や介護医療
院で経験するような症例も多く、なかなか思いどおりには医療行為が進まない。
施設看護ケアに必要な技術の提供は勿論、そのために日常使う安価な器具、医
療関連備品も揃えなければならない。末梢持続・間歇的静脈・皮下注、筋注、
経鼻胃カテーテル操作、導尿カテーテル挿入、裂傷、褥瘡を含めての皮膚処
置（簡単縫合ツール、デブリメントツール）、数種の補液類、数種の経口・筋注・
静脈用抗生物質、抗アレルギー／ステロイド／抗生物質／保湿軟膏・クリーム・
ゼリー・ローションなどの外用薬、各種湿布、貼布（パッチ）剤、数種類の点
鼻／点眼／点耳剤、さらに各種消毒剤（アルコール、次亜塩素酸ナトリウムも含
めて）などは必要である。さらに吸引装置、超音波ネブライザー、経鼻カニュ
レやマスク［バッグ・バルブ・マスク（BVM）も含めて］による酸素投与た
めの酸素量設定投与器具とポータブル酸素ボンベも必須となる。その他、小型
医療器具消毒用の高圧蒸気滅菌装置も揃えなければならない

2. 薬物療法[1-8]

　疼痛管理においては、原則としてWHOによるがん疼痛治療の3段階ラダー
に沿ってがん、非がん関係なく適用する。すなわち軽度の痛みとしての第一段
階〜非オピオイド系薬剤（アセトアミノフェン、非ステロイド抗炎症性薬、ペンタ
ゾシン〈ソセゴン〉など）、軽度から中等度の強さの痛みには第2段階〜弱オピ
オイド疼痛薬のトラマドール（トラマール）、トラマドール塩酸塩・アセトアミ
ノフェン配合剤（トラムセット）、トラマドール塩酸塩除放錠（ワントラム）、ブ
プレノルフィン（レペタン）坐薬・筋注剤とその皮膚パッチ（ノルスパン）な
ど、中等度から高度の強さの痛みには第3段階〜強オピオイド鎮痛薬（モルヒネ、
オキシコドン、ハイドロモルフィン、フェンタニル、タペンタドール、メサドンなど）
であるが、高齢者介護施設では、第3段階の強オピオイドの使用はほとんど必
要なく、第2段階で十分で施設用に改変したのが図9-1である。なお、高齢者

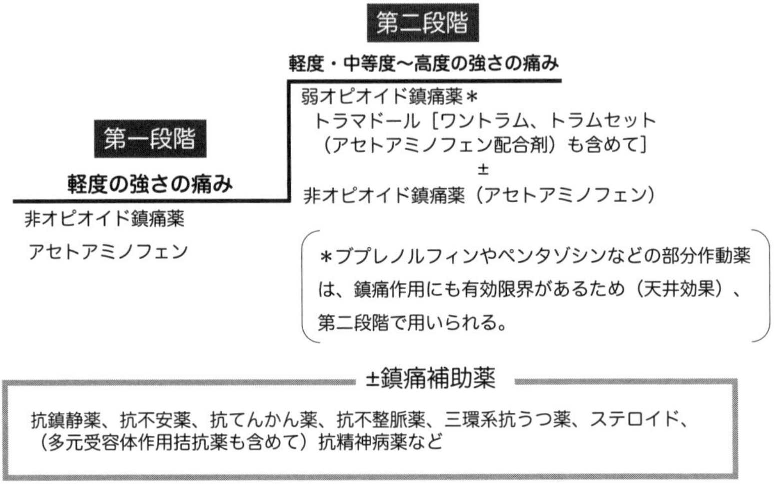

第二段階
軽度・中等度〜高度の強さの痛み

弱オピオイド鎮痛薬＊
　トラマドール［ワントラム、トラムセット
　　（アセトアミノフェン配合剤）も含めて］
　　　　　　　　±
非オピオイド鎮痛薬（アセトアミノフェン）

第一段階
軽度の強さの痛み

非オピオイド鎮痛薬
アセトアミノフェン

＊ブプレノルフィンやペンタゾシンなどの部分作動薬
は、鎮痛作用にも有効限界があるため（天井効果）、
第二段階で用いられる。

±鎮痛補助薬

抗鎮静薬、抗不安薬、抗てんかん薬、抗不整脈薬、三環系抗うつ薬、ステロイド、
（多元受容体作用拮抗薬も含めて）抗精神病薬など

●図9-1　高齢者介護施設における簡易がん・非がん性疼痛治療の二段階ラダー（著者作成）

には副作用が多く観察される非ステロイド抗炎症性薬はなるべく使用しないの
が原則としている。経口/経肛門坐薬や経皮下注射剤を主にして、経静脈剤は、
高齢者には離床を阻止し、また静脈穿刺の副作用（特に、穿刺部の確保と維持の
困難時）のため使用はできるだけ避ける。そして、施設に保管をしなくても、
必要時には経口鎮痛補助薬として鎮静薬、抗不安薬、抗てんかん薬、抗不整病薬、
3環系抗うつ薬、ステロイド、向精神薬（多元作用受容体拮抗薬も含めて）を準
備できるようにしておくとよい。これらの一般的な緩和ならびに終末期ケアに
求められる疼痛ならびに関連薬剤の使用要約を表9-1に纏めている。
　一般の高齢者介護施設においては、施設内処方薬ならびに緩和・終末期ケア
で使用する予測非麻薬系薬剤は、ごく少数で良い。表9-1から選択しておく。
終末期ステージでのオピオイド'モルヒネ'や'ハイドロモルフィン'などの投与
は、施設では、特に呼吸困難が強い場合には、まれに投与することもあるが
一般的には必要としない。少量の鎮静剤または坐薬（たとえば、セニラン坐薬
3mg）などで十分にコントロール可能である。また、身体介護ケアの継続は最
後までするも、家族の希望で経口摂取がほとんど不能になる終末期になって補
液の投与を開始する際、その中止をいつにするかが問題になる。一般的にゆっ

●表9-1　高齢者介護福祉施設における緩和医療リスト（平成29年4月）

1. 疼痛
　　第1段階〜非オピオイド性鎮痛薬（非ステロイド性消炎鎮痛薬）
　　　　アセトアミノフェン：1500mg/ 分3
　　第2段階〜弱オピオイド性鎮痛薬
　　　　トラマール錠（25、50mg）1錠1回，1日2〜4回;ワントラム錠（100mg）1錠1日1回;トラムセッ
　　　　ト錠（トラマール 37.5mg ＋アセトアミノフェン 325mg）、1回1錠，1日2〜4回;トラマール注（筋）
　　　　（100mg/ml）1回50〜100mg（p.r.m4〜5時間毎）
　　　　レペタン坐薬：1回0.2〜0.4mg、1日2〜3回
　　第3段階〜強オピオイド性鎮痛薬　なし
2. 鎮痛補助薬
　　神経因性疼痛に使用
　　　　トリプタノール（抗うつ薬）：10〜25mg/ 分1寝前
　　　　テグレトール（抗けいれん薬）：50〜200mg/ 分1寝前
　　　　デパケン（抗けいれん薬）：600〜1200mg/ 分3
　　　　メキシチール（抗不整脈薬）：150〜300mg/ 分3
　　　　ケタラール（NMDA 受容体格抗薬）：100〜200mg/ 日、持続注射
　　　　リリカ（神経障害性疼痛緩和薬）：25mg/ 回、1日2回（後1週間以上かけて漸増可能（Max300mg/
　　　　day）、OD錠剤，腎不全には減量）
　　　　リンデロン（ステロイド）：2〜8mg/ 分1朝〜分2朝昼、内服または静注
3. 食欲不振
　　　　リンデロン：2〜8mg/ 分1朝〜分2朝昼、内服または静注
4. 嘔気・嘔吐
　　　　ノバミン（中枢性）：15mg/ 分3
　　　　セレネース（中枢性）：0.75〜2.0mg/ 分1寝前〜分2朝寝前
　　　　プリンペラン（末梢性）：20〜30mg/ 分2〜分4（食前/就寝前）
　　　　ナウゼリン（末梢性）：30mg/ 分3（食前）、または1回30〜60mg坐薬頓用
　　　　ドラマミン（抗ヒスタミン薬）：150mg/ 分3
5. 便秘
　　　　酸化マグネシウム：1.0〜3.0g/ 分3
　　　　ラクツロース：13.0〜19.5g/ 分2〜分3
　　　　モビコール配合内用剤：水で溶解して経口投与、1日1回1〜2包（症状に応じて1回空3回）
　　　　ラキソベロン：1回5滴、寝前内服より開始
　　　　プルゼニド：12〜48mg/ 分1寝前
　　　　リシカルボン坐薬、テレミンソフト坐薬：1回1個適宜
　　　　グリセリン浣腸：1回60〜120ml 適宜
6. 下痢
　　　　ロペミン：2mg/ 分2
　　　　タンナルビン：3.0g/ 分3
7. 咳嗽
　　　　メジコン：45〜90mg/ 分3
　　　　リン酸コデイン：80〜160mg/ 分4
8. 呼吸困難
　　　　レキソタン：3〜6mg/ 分3
　　　　リンデロン：2〜8mg/ 分1朝〜分2朝昼、内服または静注
　　　　リン酸コデイン（5mg、20mg錠）：80〜160mg/ 分4（特に咳嗽の多い場合）
　　　　モルヒネ：12〜20mg/ 日、内服または持続注射
9. 吃逆
　　　　ギャバロン：1回10mg頓用、15〜30mg/ 分3
　　　　ランドセン：1回0.5mg頓用、または0.5〜1.0mg/ 分1寝前
　　　　キシロカイン：1回50〜100mgを30分で点滴静注
　　　　プリンペラン：1回20mg静注
10. 排尿障害
　　　残尿感の多い場合
　　　　ウブレチド：7.5〜15mg/ 分3
　　　　ハルナール：0.2mg/ 分1
　　　残尿のない場合
　　　　バップフォー：10〜20mg/ 分1寝前
　　　　ベタニス：25mg、50mg　1日1回50mg（15 ≦ eGFR ≦ 29：1日1回25mgから）
　　　　ベオーバ：50mg　1日1回50mg，食後

（著者作成）

くりと量を減量調整することが多いが、臨終期数日では補液は必要としない。また、医師不在時の約束処方は、作成しておく必要がある。上述の薬が使用されるが、もっと具体的に例としてわかるようにしたのが表9-2である。発熱時、軽い風邪症状、鼻汁、咳、胃痛、疼痛時、血圧上昇時、疼痛、胸痛時、嘔吐時、下痢時、喘鳴時、不穏時、不眠時などのために予め準備しておくと良い。

　緊急時、また急変時などの薬として施設でよく使われる疼痛、不眠、不安、嘔気、嘔吐、発熱、喘鳴時ならびに呼吸困難時に使用される薬を参考のために追加した（表9-3参照）。どうしても、常時用意しておく必要があるのが、陽圧酸素投与が可能なバッグ・バルブ・マスク（BVM）と薬剤―食事アレルギーアナフィラキシーショックの際に、必須となるアドレナリン（エピネフリン）注射薬である。後者は、'0.1％アドレナリンシリンジ（テルモ）1mg per 1ml'が最も安価で便利がよい。必要時は、1回0.3〜0.5mg（ml）外側大腿部筋注が推奨できる。'エピペン'は、大変に高価なので、施設には保管する必要はない。一般的に施設終末期ケアでは必要がないが、介護施設でも簡易施設救急カート（薬品）、施設救命救急対応マニュアルも準備して日頃から急変時の救命救急処置も習得しておくことが肝要である。

3. 非薬物療法

　緩和・終末期ケアでは、この療法が重要で、しばしば無視されている場合が多い。まず、感覚認知への働きかけが必要であり、皮膚への刺激としてマッサージ、温熱・寒冷却、快適な環境として適温と適湿、新鮮な空気（換気）、好みの香り（たとえば、アロマ）、落ち着ける療養環境、体の清潔保持、入浴、部分浴、清拭、口腔ケア、そして生活リズムを整える食事、排泄、着衣、睡眠などである。次に、活動（フィットネス）への働きかけで、安楽なポジッション、動き方の工夫など、すなわち体位交換、自動・他動運動、マッサージなどを含む。日常生活活動への援助も必要であり、可能ならば散歩、面会、楽しい活動（レクリエーション）の積極的取り入れも大切である。そして、良好なコミュニケーションは、ケアの核になるもので、施設高齢者の意思を確認しながら日常生活を整え、安全、安楽、安心を提供していくことである。

　緩和・終末期における施設リハビリテーションも決して疎かにしてはならな

●表9-2 高齢者介護施設 Dr不在時 施設約束処方の例

発熱時	①クーリング ⇒ 三点クーリング（片腋窩・両ソケイ） ②38.5℃以上継続 ⇒ カロナール（200）2錠。4時間後38.5℃以上の際は再びカロナール(200)2錠追加。4時間以内に38.5℃以下にならなければ搬送検討。
軽い風症状	① PL 2g 分2（朝・夕） ② PL 3g 分3（毎食後）
鼻汁・咳嗽	鼻汁 水様の痰 ⇒ 小青竜湯 咳 38.5℃の発熱がある……発熱時の指示
胃痛	アシノン（150）1錠／日 ＋ ストロカイン（5）6錠 分3/日
頭痛時	カロナール（200）2錠
血圧上昇時	臥床してしばらくして再検 再検後 180/100以上であれば アダラート（10）1錠（通常4-6時間効果；必要時は再度1錠追加）
胸痛時	・現在、ニトロペン（0.3）舌下錠を処方されている場合、又狭心症、心筋梗塞、既往歴か、狭心剤治療薬服用中の利用者は ①蒼白・冷感・嘔気なければ ニトロペン（0.3）1錠舌下 5分後症状（＋）狭心症状、継続の際は、もう一度ニトロペン（0.3）1錠舌下する。 症状が軽快しなければ ⇒ 救急車 ②蒼白・冷感・嘔気あれば ニトロペン（0.3）1錠舌下 ⇒ 救急車 ・それ以外の時、看護師が直接診察できない場合は搬送
嘔吐時	ナウゼリン坐薬 30mg ⇒ 冷中
下痢時	①下剤の中止 ②水分補給（OS-1/ポカリスエットなどの経口補水液） タンナルビン末3g ＋ ラックビー 6包分
喘息時	現在治療中の即効型インヘイラー（サルタノール、メプチンエアー、ベロテックエアゾル、など）1～2回吸入する。医師に連絡して指示を受ける。できない場合～もう1～2度15分～30分間隔で軽快しない場合は搬送。軽症の際はホクナリンテープ（2）1枚 1日1回貼付して観察
不穏（せん妄）時	①セレネース（0.75mg）錠 まず、1錠／回服用；2～4時間後に更に1錠服用可 ②リスパダール（1mg/1ml）液 まず、1ml（1mg）／回を服用；2～4時間後に更に1ml服用可 ③セニラン（3mg）坐薬 まず、1回肛門の中に挿入；2～4時間後に更に1個挿入可

（著者作成）

●表9-3　急変時の高齢者介護施設内処方薬並びに緩和ケア予測非麻薬系薬剤の例

疼痛時	・カロナール細粒20％（0.5g、1g/包）、　50％（0.6g、1g/包）	1包	内服
	・カロナール錠（200mg）（300mg）（500mg）	1回300mg〜500mg（1日3〜4回）	挿肛
	・カロナール坐薬（100mg）（200mg）	1〜2個	
不眠時	・アモバン錠（7.5mg、10mg）	1錠	内服
	・レンドルミン錠（0.25mg）	1錠	内服
	・ロヒプノール（1mg）	1錠	内服
	・ロゼレム錠（8mg）	1錠	内服
	・ベルソムラ（15mg）	1錠	内服
不穏・せん妄時	・リスパダールOD錠（1mg）；液（1mg/ml）	1個	内服
	・セレネース錠（0.75mg；1.5mg）	1錠	内服
	・セロクエル（25mg）	1/2〜1錠（1日2〜3回）	内服
	・セニラン坐薬（3mg）	1個	挿肛
	・セレネース注（5mg）	1個	筋注
不安時	・ワイパックス（1mg）	1/2〜1錠（1日2〜3回）	内服
	・デパス錠（0.5〜1mg）	1錠頓服または1日3回	内服
	・ダイアップ坐薬（4mg）	1個	挿肛
	・セニラン坐薬（3mg）	1個	挿肛
嘔気（嘔吐）時	・ノバミン錠（5mg）	1日3〜4回1錠	内服
	・コントミン（ウイタミン）	1回12.5〜25mg（1日2〜3回）	内服
	・プリンペラン錠（10mg）	1錠	内服
	・ナウゼリン坐薬（60mg）	1個	挿肛
	・セニラン坐薬（3mg）	1個	挿肛
発熱時	・カロナール（200mg）	1or2錠	内服
死前喘鳴時	・ハイスコ（0.5mg、1ml）；1回注射液0.15〜0.25mg（0.3〜0.5ml）1日1〜4回	0.5管 注射剤0.5〜1.5mg/日	舌下 持続皮下注
	・ブスコパン注（20〜60mg/日）持続皮下注		
呼吸困難時	・デパス（0.5mg）	1錠	内服
	・セニラン坐薬（3mg）	1個	挿肛
	・レキソタン（1mg、2mg、5mg）（3-6mg/日、分2-3回）	1個〜3個	内服
	・リンデロン（2mg）（2-8mg/分1朝〜分2朝昼）	1個（1〜4）	内服
	・リン酸コデイン（5mg、20mg）（80〜160mg/分4）	1個（1〜4）	内服（特に咳嗽の多い場合）
全体倦怠時	・セニラン坐薬（3mg）	1個	挿肛
	・リンデロン（2mg）（2〜8mg/分1朝〜分2朝食）	1個（1〜4）	内服
便秘時	・ラキソベロン液	眠前10〜15滴	内服
	・酸化マグネシウム（250mg、330mg）	眠前1〜2錠	内服
	・プルセニド（12mg）	眠前1〜2錠	内服
	・モビコール配合内用剤	1回1〜2包/日、症状に応じて1日1〜3回	内服
	・新レシカルボン坐薬	1回1個（1日1〜2回）	挿肛
	・グリセリン浣腸	60ml〜120ml/回	
吃逆（しゃっくり）時	・プリンペラン（10mg）	1回1錠（1日食前2〜3回）	内服
	・ナウゼリン坐薬（60mg）	1回1個（1日2回）	挿肛
	・ナウゼリンOD（10m）	1回1錠（1日3回食前）	口腔内
	・リオレサール（5mg）	1回1錠（1日3回）	内服

※疼痛を含めて多種の苦痛に対して緩和ケア薬剤を使用している際、必要な副作用対策をしているが、特に重複薬に注意。（著者作成）

●表9-4　看取りベッド内で応用できる非薬物的リハビリ介入技法（著者作成）

介入技法	効果	機能
他動的関節可動域フィットネス（ROM-EX）	倦怠感の緩和 （不動性疼痛の緩和）	微小循環、関節液浸透の促進、骨萎縮の緩和
ストレッチング	筋緊張の緩和	痙性麻痺の抑制
マッサージ（各種アロマ緩和マッサージ）	筋疲労の緩和	静脈系の循環促進
ドレナージ	リンパ系の循環促進	皮膚欠損、感染の予防
タッチング	コミュニケーション手段	安心感を生む契機、スピリチュアル・ペインの緩和
訪問して二人関係の構築	社会的痛みの緩和 心理・社会的痛みの緩和	絆の構築、スピリチュアル・ペインの緩和
定時刻化	毎日の規律化した生活スタイルへの改善	生活リズムの再構築

い。施設高齢者の持っている能力をできるだけ利用し、最大に引き出す工夫をしなければならない。動かしていけない部所、痛みの出る姿勢などを把握し、失敗経験をさせないように配慮する。疲労の変動が大きく、適宜運動量を変える必要などもスキルとして大切である。家族も治療に参加するように勧めるのはよい。歩く、トイレに行くことは人間の尊厳にも関わることでありできるだけ長い期間、少なくともこれらの基礎的ADL（日常基礎的生活活動）を確保するように、支援しなければならない。モチベーションをできるだけ保つ工夫をし、本人自身の価値観を損なわないように、いつも観点を臨機応変に変換し、適時、適所に個々別の緩和リハビリテーションを行う必要がある。施設ベッド内での活動に関する介入技法とそれらの効果、機能の比較を表9-4に要約した。他動的・自動的関節可動域活動、ストレッチング、マッサージ、リンパドレナージ、タッチング、そして定時間化した訪問をして二人の関係を構築することが薦められる。ベッド内で寝たきりの緩和・終末期の入居者の方々に施行ができる上記の介入技法をぜひ積極的に導入してほしい。それに関して、とくに緩和・終末期マッサージは、誰にでもできる効果のある基本的手法として常時施行することを強く推奨する。

　施設における高齢者の緩和ならびに終末期においては、どうしてもケアス

タッフは手を使う。マッサージにはいろいろの種類があり、少し皮膚から離したマッサージ（セラピューティック・タッチ～日本の気功と考えられエネルギーの気を皮膚から入れ込む）、皮膚にタッチする、ゆっくり柔らかく表面をタッチして移動するか、撫でるようなゆっくりと滑らすタッチマッサージなどいろいろの方法があるが、全て皮膚と皮膚との直接・間接接触による'オキシトニン'の分泌が増加することが知られている。このタッチングケアは、癒しの快感と安心感を与え、疼痛の緩和、認知症のケアにも役に立つ。肌を通してのコミュニケーションツールであり、施行者も癒される。

　したがって、タッチケアのテクニック（手当り）を学ぶことを推奨する。これは、マッサージでも、特に緩和ケアマッサージとしていろいろな方法が開発されている。当初、高齢者の認知症の治療としてスウェーデンで開発されたタクティールマッサージ[9]などはそのひとつで、またゆっくりと揉まずに、皮膚をタッチしてスライディングしていく'マインドフルマッサージ'とか、それに類したものが数種開発されている。誰でも習得することが可能であり、必要な施設入居者のどのステージにも応用ができる。皮膚に触る（手当て）だけでも治療効果がある。

【引用文献】
1. 平原佐斗司（編）　2011　『在宅医療の技とこころ．チャレンジ！非がん疾患の緩和ケア』　南山堂．
2. 小早川晶（著）　2012　『緩和ケア・コンサルテーション』　南山堂．
3. 森田達也,他（著）　2014　『緩和治療薬の考え方、使い方』　中・外医学社．
4. 世界保健機関（編）、武田文和（訳）　1987　『がんの痛みからの解放』　金原出版．
5. ターミナルケアマニュアル（非売品）　柏木哲夫（著）　1988　『淀川キリスト教病院 ホスピス（編）』　最新医学社．
6. Elsayem A, Bruera E. The University of Texas MD Anderson Cancer Center, 2008.『The M.D. Anderson Supportive and Palliative Care Handbook. Third Edition.』
7. 小早川晶, 他: WHO癌性疼痛救済プログラム　臨床と研究,72（2）, pp339-345, 1995.
8. World Health Organization（WHO）2002『National cancer control programs: policies and managerial guidelines』2nd ed. Geneva: World Health Organization. .
9. 木本明美（著）　2016　『はじめてのタクティールケア手で"触れて"痛み、苦しみを緩和する（CC.MOOK）』日本看護協会出版会．

第 10 章

高齢者介護施設で認知症入居者を看取るということ

1. 認知症の看取り

　施設における認知症の看取りケアも、一般的な緩和・終末期ケアの基本概念を踏襲することになる。これは認知症の有無に関わらず、緩和・終末期ケアにおいては個別的に配慮した'尊厳あるケア'が主なゴールになる。WHO（World Health Organization）、EAPC（European Association for Palliative Care）などが、ガイドラインを出している[1,2]。認知症高齢者の慢性疾患における非癌緩和ケアの重要性も含めて、これらのガイドラインがある。

　'EAPCガイドライン'では、命を長らえる治療、機能維持、快適さの最大化の3つの主目標が認知症のステージによって、その比重を変えたケアが基本となっている。認知高齢者が重症になりエンドステージが近づくと、嚥下障害が出現し人工的水分、栄養補給などの延命治療の問題や看取りの問題が、家族や介護施設ケア関係者にとっては重要な問題となる。これらも現時点では、認知症のある・なしに関わらず施設入居者の緩和・終末期介護・医療ケアの倫理的問題としてほぼ一般的に浸透している。入居者と家族、また介護・医療従事者は事前に準備をしておく必要があり、アドバンス・ケア・プランニング（ACP）（第11章参照）の重要性が言われている。入居者、家族側では本人の生前意思確認（リビングウィル）（LW）、事前指示書（アドバンス・ディレクティブ）（AD）の作成、介護医療側では心肺蘇生拒否（DNAR）の医師の生命維持に関する指示書ポルスト（POLST）（後述）を適切に作成されていなければならない。介護領域の看取りの意思確定書ならびに看取りの計画書も倫理的に作成され、その実施が管理されている。

　一般的に加齢や認知症とともに死に至るには、特別なイベントが起こらない限り前述した緩やかな自然の経過、すなわち老化、老衰して行くのが普通で、その間に時々急な変化があるとしても、ゆっくりと天寿を全うする方向へ寿命

は向かう。この天寿を全うする過程にある高齢者施設入居者の尊厳・敬意が、ケアの主核となる。

　したがって、アルツハイマー病の自然経過は図10-1に示したように、発症から約10年の経過でゆっくりと進行し、高次機能低下に応じて'社会的'日常生活活動（AADL）、'手段的'ADL（IADL）、'基本的'ADL（BADL）も低下し、身体症状（失禁、歩行障害、嚥下障害、体重減少など）が現れ、そしてしばしば誤嚥性肺炎などで死に至る。この進行は、老衰プロセスと同じくフレイル・サルコペニア状態の経時的悪化と一致する。老衰の経過中にも、なんらかの認知症を併発することが多い。上記のアルツハイマー病（AD）も老衰に合併する。

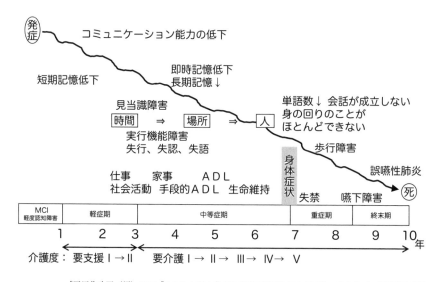

[平原佐斗司（編）2015『チャレンジ！非がん疾患の緩和ケア』（5刷）、南山堂（一部著者改変）]

●図10-1　アルツハイマー病の自然経過

　いずれにしろ、進行にともなう言語的コミュニケーション能力も低下する。歩行が可能な初期から、段々と歩行障害が出てくる中等症期では車椅子の使用が必要となり、ついには立つことも座位も保持できなくなる。そして、ベッド臥床（寝たきり）に至る廃用期とともに終末期へ移行して、ベッド上での活動もさらに低下して、ついに全く不動（重症廃用症候群）となる。非言語コミュニケーションさえもできなくなる。

　これに対して最終期に向かっての一般的市民が持つ希望は、まず心身の機能活動が低下するごとに、ゆっくりと辛い後遺症を伴うような延命を目指す治療はしなくて、治療中の辛さも余り我慢することも望まない。食べられなくなったら終わりで良いのか、どうして欲しいか、欲しくないかということには、最終的には事前指示（AD）、すなわち最期の時の予めの意思表明が大切で、この過程の初期段階からアドバンス・ケア・プランニング（ACP）が必要となる。中等度以上の認知症入居者は、意思決定ができないので、家族（本人の代理人）側と医療従事者（医師、看護師）そして介護福祉士、ケアマネージャー（医療相談員）側による話し合い（ACP）が、必要時その都度求められる。そして認知症入居者の場合は、この2者がシェア（共有）した合意が本人の意思決定として、それに沿って最終を迎えるのがもっとも推奨される。

　認知症の末期の定義は、ゴールド・スタンダード・フレームワークGold Standard Framework（英国）[3]によると、介助なしでは全く歩けない、尿失禁と便失禁がある、意思疎通ができない、介助なしに着替えができない、バーセルスコア（Barthel Score）[4]が総合点数30未満（基本ADLに問題がない状態が100点満点で、30未満では全ての項目に介護が必要）、すなわち基本ADLが中等度以上悪化している、そして以下のうち少なくとも一つ～①6ヶ月で10％以上の体重減少、②腎盂腎炎や尿路感染症、③血清アルブミン低値2.5g％dℓ以下、④重度の褥瘡、⑤繰り返す発熱、⑥体重減少や経口摂取の減少、そして⑦誤嚥性肺炎～となっている。

　また、一方施設認知症入居者における「スピリチュアリティの問題」もこれにかみ合ってくる。話す能力が失われることで、家族は'閉合のセンス'を持つことが困難になる。閉合（センス・オブ・クロジャー；a sense of closure）とは、状況が一部欠けていても主観的にそれを補って完全なものとして認識するセンスを心理学上'閉合'と言う。

　認知症は、ただ話せないだけ、聞こえないとか、反応できないと言うことを意味するのではないことを家族に気づかせること、そしてその入居者の反応がどうであれ、こちらから積極的に語りかける必要がある。語りかける重要性を徹底して啓蒙しておく必要がある。

　さて、認知症末期の苦痛は、日本の在宅医療とも関連のある高齢者介護施設

共同研究によって、平原ら[5-6]が報告している。主治医が終末期に緩和すべきと考えた症状は、嚥下障害、呼吸困難、喀痰、食欲不振が主であり、最期の一週間に出現した症状は嚥下障害、発熱、浮腫、食欲不振、外傷、褥瘡、喀痰、呼吸困難、便秘、だるさ、頭痛、せん妄などであった。認知症が軽度の老衰による高齢者の死のプロセスとほとんど変わりがない。

　苦痛の評価〜苦痛の評価の基本は主観的評価であり、中等度認知症までは主観的評価が可能である。痛いですか？　痛くないですか？　とても痛いですか？　少し痛いですか？　と質問を単純化する。

　重度となり言語にて苦痛を表現できないようになった場合は、客観的評価表による苦痛評価が可能である。たとえば、'PAINAD'［呼吸の異常、ネガティブな発声（うめき声、大声など）、顔の表情、ポジション、ボディランゲージ、慰めやすさの5項目、それから0〜10点満点で評価する方法］がある（表10-1）[7]。

●表10-1　PAINAD（Pain Assessment in Advanced Dementia）

	0	1	2
呼吸 （非発声時）	正常	随時の努力呼吸 短期間の過換気	雑音が多い努力性呼吸 長期の過換気 チェーンストークス呼吸
ネガティブな 啼鳴（発声）	なし	随時のうめき声 ネガティブで批判的な内容の小声での話し	繰り返す困らせる大声大声でうめき苦しむ泣く
顔の表情	微笑んでいる／無表情	悲しい 怯えている／不機嫌な顔	顔をゆがめている
ボディランゲージ	リラックスしている	緊張している／苦しむ行ったり来たりする／そわそわしている	剛直／握ったこぶし引き上げた膝／引っ張る押しのける／殴りかかる
慰めやすさ	慰める必要なし	声かけや接触で気をそらせる、安心する	慰めたり、気をそらしたり、安心させたりできない

(Warden V, et al. Am Med Dir Assoc. 2003；4（1）：9-15.（著者訳))

　認知機能障害を有する高齢者の疼痛は、一般的に少ない疼痛の記載、少ない疼痛薬のオーダー、そして少ない疼痛薬の使用がなされてきた。苦痛を読み取る難しさは、苦痛があっても訴えられない身体の変化が症状として表れにくく、症状の現れ方が非典型的であることが多い。さらに、こちらの知識不足から苦痛を読み取れない場合も多い。

　微力なサインをどう読み取るかということについては、高齢者が置かれている現状を察し苦痛を推し量り、それから手と目で観察し、何かいつもと違うという感覚が大事である。非言語的表現の意味を考える。そして自分だったらと想像すると良い。疼痛に関連した行動として直接、実際の直接観察と長期間長時間の観察をしておれば、特に施設では介護福祉士は、早期に疼痛を見つけることができる場合が多い。

　認知症では'疼痛が異なって進行し、異なって感受されることはない'と考えられている。認知症では末梢の疼痛侵害性受容体反応、あるいは、その伝達が傷害されているというエビデンスはない（感覚閾値）[8-12]。中枢神経系の変化が疼痛の伝達を増強、あるいは、減じているかもしれない（感覚低反応）[8-11]。さらに、急性の疼痛に対する反応は増しているかもしれないが、疼痛に対する閾値は変化していないようである[10-11]。いずれにしろ、認知症の疼痛は、精神症状を含めた多様な症状や行動が表現される。

　安静時と活動時の観察では、疼痛の有無（YES/NO）対疼痛の強さ、認識可能か不可能かにおける差異、そして疼痛か不快かを行動から推計することも可能となる。一方、生理的手法も大いに参考になる。疼痛時は、心拍数は上がり、血圧が上がり、呼吸数が上がり、SVR（収縮期血管抵抗）が上昇し発汗が現れる。さらに、ストレスも苦痛となる。

　認知症高齢者の疼痛の評価については、米国老年医学会（AGS）は2002年に認知症高齢者の痛みを示唆する行動を6つに分類整理[13]している。すなわち①表情（しかめ、ゆがんだ表情、前額部のしわ、早い瞬き、目をかたくなに閉じている、など）、②発語や発声（うめき、ため息、不平、助けに求め、呼び出し、荒い呼吸など）、③身体の動き（そわそわ、動作制限、防御姿勢、緊張、歩行や行動に変化など）、④対人対応の変化（攻撃的、ケアへの抵抗、引きこもり、反応の低下、不適切な言動など）、⑤活動パターンの変化（食事の拒否、食欲変化、安静時間の長期化、睡眠パターンの変化、ルーチン行動の拒否、頻回な徘徊など）、そして⑥意識・精神状態の変化（泣く、涙をながす、混乱の増加と増悪、イライラ落ち着きをなくするなど）などの状況で推定が可能となる。

　したがって、コミュニケーションに制限がある場合は、本人の訴えのみに頼るのではなく表情や声、食事やケアの抵抗、興奮状態などを、認知症施設入居

者なりの痛みの表現と捉える姿勢が大切になってくる。ノルウェーの18の高齢者福祉施設352人の認知症症状（ミニ・メンタルスケールテスト〈簡易認知症検査；MMSE〉値は、20点以下（30点満点の正常値22点以上）[諸外国で一般に使用されているMMSEの正常値は、24点、23以下が認知症の疑い]；ファースト〈FAST〉4レベル〈軽度アルツハマー病〉以上（下記の記載参照）で行われた疼痛治療のランダム化比較試験（RCT）では、治療群のNPI　[Neuropsychiatric Index；介護ケア提供者による神経・精神・行動症状を評価するため方法。妄想、幻覚、興奮、うつ、不安、多幸、無感情、脱抑制、易刺激性、異常行動の10項目に、それぞれに頻度を1〜4の4段階で、重症度を1〜3の3段階で評価する。点数が高いほど頻度、重症度が大きい。各項目のスコアは頻度X重症度で表され（1〜12点）、10項目で合計1〜120点となる。]が優位に改善（マイナス15.9 vs マイナス4.8、P<0.001以下）され、特に興奮状態からの改善が顕著であったと報告されている[14]。疼痛治療に反応可能であることがわかる。

　一方、もう一つよく使われるスケールとして、アビィ・ペインスケール（Abbey Pain Scale）（表10-2参照）がある[15]。上手く話すことができない認知症の方の痛みの測定のためのスケールであり、発声、顔の表情、ボディランゲージの変化、行動の変化、生理的変化、そして身体的変化の6項目を0〜3にてスコア化してペインの強さを分類する。ペインの存在を軽度、中等度、重度に分類でき、また慢性、急性、慢性の増悪などもチェックが可能である。

　次に、認知症末期の対応について述べよう。

　米国ナーシングホームで認知症1,609人の死亡前120日以前の'MDS'（Minimum Data Sheet）（米国ナーシングホームのケアの質マネジメントを評価するシステム）に基づく症状出現の分析結果[16]がある。これらは、苦痛を誘発する症状は、嚥下障害46%、顕著な体重減少26%、毎日の痛み16%、褥瘡15%、便秘14%、発熱13%、肺炎11%、息切れ8%、そして繰り返す誤嚥3%であった。数多くの苦痛要因が認知症入居者にある。

　高齢者の認知症の人生の経過では、まず健常からMCI（軽度記憶障害；認知症前症）、軽度、中等度、高度、そして終末期への経過の中、経時的に認知機能の進行的低下が自然経過として観察される。したがって、最期の意思表示の確

●表10-2　アビィ・ペインスケール（Abbey Pain Scale）

どのようにスケールを使うか施設居住者を観察しながら、1から6の質問のスコアを付ける						
ID#:＿＿＿＿　患者名:＿＿＿＿＿＿＿　性別: 男・女　年齢:＿＿＿　病棟:＿＿＿(部屋#＿＿＿)						
主要診断名:＿＿＿＿＿＿＿＿＿＿＿＿＿＿＿＿＿						
記入者氏名:＿＿＿＿＿＿＿　役職:＿＿＿＿＿　記入年月日:＿＿＿＿＿＿＿　時間:＿＿＿＿＿＿						
直近の鎮痛剤使用は＿＿＿＿＿＿＿＿＿＿　を＿＿＿＿＿＿＿＿＿時に使用						

	無	軽度	中等度	重度		
Q1 発声 （例:しくしく泣く、うめき声をあげる、号泣するなど）	無 0	軽度 1	中等度 2	重度 3	Q1	[ ]
Q2 顔の表情 （例:緊張しているように見える、顔を歪めて眉をひそめる、怯えているように見えるなど）	無 0	軽度 1	中等度 2	重度 3	Q2	[ ]
Q3 ボディーランゲージの変化 （例:そわそわする、動揺する、体の一部をガードする、引き込みがちなど）	無 0	軽度 1	中等度 2	重度 3	Q3	[ ]
Q4 行動の変化 （例:混乱の増加、拒食、通常パターンの変更など）	無 0	軽度 1	中等度 2	重度 3	Q4	[ ]
Q5 生理的変化 （例:体温、脈や血圧の異常、発汗、顔面紅潮や蒼白など）	無 0	軽度 1	中等度 2	重度 3	Q5	[ ]
Q6 身体的変化 （例:皮膚裂傷、圧迫部位、関節炎、拘縮、前の損傷など）	無 0	軽度 1	中等度 2	重度 3	Q6	[ ]

1〜6のスコアを足し、ここに記録する ⇒ トータルペインスコア	[ ]			
次に、当てはまるトータルペインスコアのボックスにチェックする ⇒	0〜2 痛みなし	3〜7 軽度	8〜13 中等度	14+ 重度
最後に、当てはまる痛みのタイプのボックスにチェックする ⇒	慢性	急性	慢性の 急性増悪	

［Dementia Care Australia Pty Ltd Website: www.dementiacareaustralia.com Abbey, J; De Bellis, A; Piller, N; Esterman, A; Giles, L; Parker, D and Lowcay, B. Funded by the JH & JD Gunn Medical Research Foundation 1998-2002; 回心堂第二病院 緩和ケア科（著者訳）］

認ができなくなる。死について事前に話し合うこと（ACP）が重要で、当初は抵抗感があるが、本人の意思が周囲に共有されていない点が問題ないように配慮しなければならない。身寄りのない認知症高齢者の代理をだれが行うかわからない事実が起きることもある。この問題の解決には、ケアスタッフばかりでなく、家族にも早期啓発、早期教育が必要となる。

　認知症の知識、将来の備えに関する知識習得、事前指示書（アドバンティブ・ダイレクテイブ）（AD）の作成、定期的に医師の確認と修正、これには親族や友人など身の周りの人に自分の希望や意見を事前に共有しておくことが肝要である。

　したがって、本人（一般的には、判断がまだ残留している軽度認知症）、家族、介護施設スタッフ（医師、看護師、介護福祉士、ケア・マネージャー相談員など）間のアドバンス・ケア・プランニング（ACP）でお互いに共通のゴールを話し合い、理解の上で決定しておくことが必要である。また、それの書類化も求められる。客観的な意思決定能力評価による事前指示書の有効性の証明の確認と

医療行為時におけるその能力評価の実施も含まなければならない。認知能力評価の結果から、本人のレベルに応じた対応が必要であり、そのサポートを検討する。お互いにアドバンス・ケア・プランニング（ACP）によって必要時に共有の意思確認を行うのが一番よい。一方、多くの高齢者は認知機能が年齢とともに低下していくので、それに対する尊厳死のあり方、それに代わる延命効果としての医療行為の有無、またその一部承認など、たとえば人工呼吸器装着問題、胃ろう増設、末梢または中枢栄養静脈療法などの人生最期の医療のあり方は、三者（入居者本人、家族、ケア提供者）による合意の上で決められるのが最も相応しい。すなわち'尊厳死'をどのようにおこなうかと言うことである。

　一般的には、高齢者の重度認知症入居者は、老衰に至る経過中の入居者と同じく積極的な治療は行わず、できるだけ自然に苦痛なく穏やかに満足して死んで逝くプロセスの方法を、自己判断がまだ残存する早期に十分に話し合う必要がある。医療ならびに栄養に関しては一般的には推奨されない。できるだけ自然で、もし必要ならば最小限の医療を施行する。これは延命効果ではなく全て苦痛の除去のためである。

　認知症の末期、米国ホスピス協会はそのホスピス適応条件としてFASTの分類（アルツハイマー認知症の生活機能上の障害度を表す機能評価ステージング1～7段階）（表10-3参照）[17]で、ステージ7（重度アルツハイマー病）で、a→fのうちのcを超えない状態、すなわち独りで歩きができる、言葉が一個以上話すことが可能、意味のある会話ができる、ADLはほぼ依存し、便・尿失禁がある

●表10-3　FASTの分類

Stage	臨床診断	特徴
1	正常	主観的にも客観的にも機能異常なし
2	老化	物忘れや仕事が困難の訴え、他覚所見なし
3	境界域	職業上の複雑な仕事ができない
4	軽度 AD	買物、金銭管理など日常生活での複雑な仕事ができない
5	中等度 AD	TPO にあった適切な服を選べない、入浴を嫌がる
6	やや高度 AD	a) 服を着られない、b) 入浴に介助必要、c) トイレの水を流せない、d) 尿失禁、e) 便失禁
7	重度 AD	a) 語彙が6個以下、b) 語彙が1個、c) 歩行不能、d) 座位不能、e) 笑顔の喪失、f) 頭部固定不能、意識消失

(Reisberg, B., et al. Ann NY Acad Sci, 1984)

状態以上が適応となっている。さらに、アルツハイマー-認知症（AD）が末期と診断される状態に、誤嚥性肺炎、尿路感染症、敗血症らの合併症状が診られ、多発性の3〜4度の深い褥瘡、抗菌薬の投与などを必要とする繰り返す発熱、6ヶ月以内の10％以上の体重減少、せん妄などの併発なども含まれている。これらの条件は、認知症終末期ケアの複雑性と包括性の重要性が理解できる。

2. 認知症入居者のケアの基本

　まず不安感を和らげなければならない。目を見てゆっくりと静かに話しかけ、その時にはできるだけ優しく触れること（タッチング／ハグなど）などが基本である。穏やかな気分で接して聴取、すなわち聞くことを大切にしなければならない。くわえて、相手のペースに合わせてゆっくりと話さなければならない。間違った行動はまず受け入れてみることが大切である。そして個々別に次の方法を考えるのがよい。個々の認知症入居者の言動行動をよく観察して、それに対応をする方法を考えておくのがよい。一時の感情に流されずに、よりプロフェッショナルな個々別の冷静な姿勢が必要であり、さらに個別的生活リハビリを積極的に取り入れるのが、最も推奨され効果的である。

　さらに、認知症とのコミュニケーションスキルとして、バリデーション[18]とユマニチュード[19]がある。バリデーションは英国、米国で主として発展したもので、家族や介護者が悩むことの多い認知症の人のコミュニケーションが取れるようにするのを目的として開発されて30〜40年になる。このバリデーションは、「確認する」、「強化する」という意味で、認知高齢者の感情を認め、無条件で承認する。認知症の人の言語を問題視したり、説得したり止めさせようとしたりするのではなく、行いを理解し、あるがままに受け入れるという共感に基づいて関わるのが基本である。バリデーションの方法として、精神を統一集中させ同じ言葉を繰り返し、心を込めて目線に合わせる（アイコンタクト）、時に曖昧な表現で質問し、想い出話をよく語る。はっきりとした低い声で話し、動きに合わせる（ミラー・エフェクト）。身体にやさしく触れ、音楽療法を使うのは有効である。14のバリデーション技法があるが表10-4に示した。

　一方、ユマニチュードはフランスで開発された技法で、これも約30年以上前、運動療法士により開発され、認知症、特にアルツハイマー病のコミュニケーショ

●表10-4 14のバリデーション技法

技法1	センタリング（相手に集中する）	ケアワーカーの基本的な態度
技法2	相手の「事実」に基づいて会話する	言語的コミュニケーション
技法3	リフレージング（本人の言うことを繰り返す）	言語的コミュニケーション
技法4	極端な言い方をする	言語的コミュニケーション
技法5	反対のことを想像してもらう	言語的コミュニケーション
技法6	思い出話をする	言語的コミュニケーション
技法7	真心をこめたアイコンタクトを保つ	非言語的コミュニケーション
技法8	相手に合わせてあいまいな表現を使う	言語的コミュニケーション
技法9	はっきりとした低い優しい声で話す	言語的コミュニケーション
技法10	ミラーリング（相手の動きや感情に合わせる）	非言語的コミュニケーション
技法11	満たされていない人間的欲求（感情）と行動を結びつける	基本的な考え方
技法12	相手の好きな感覚を用いる	非言語的コミュニケーション
技法13	タッチング	非言語的コミュニケーション
技法14	音楽を使う	非言語的コミュニケーション

［ナオミ・ファイル、ビッキー・デクラー・ルビン（著）；高橋誠一、篠崎人理（監）、飛松美紀（訳）(2014)『バリデーション・ブレイクスルー〜認知症ケアの画期的メソッド』全国コミュニティライフサポートセンター（CLC）］

ンスキルとして当初使用されていた。段々と一般的な認知症ばかりでなく、認知症でない高齢者にも利用できる広範なケアスキルとなっている。最も大切にするのは、1) 話しかけ、2) タッチング、3) 立たす、そして4) よく傾聴する、ことを中核とするケアの技法である。すなわち、目を優しくコンタクトして、優しい言葉で話しをし、温かい愛情を持って触れ、よく傾聴して、立たす（離床）を主体としたケアスキルである。日本でも最近普及され知られるようになってきた。

　認知症の緩和・終末期ケアについては、1990年代にスウェーデンのバルブロ・ベック＝フリースが、癌患者に対する緩和ケアの理念が認知症の症状緩和にも当てはまることに気づき、認知症の緩和ケアの概念を確立した[20]。その柱になるのが症状の観察と緩和であり、チームアプローチ、コミュニケーション、そして家族への支援に纏めることができる。ここでは、最期の瞬間まで認知症高齢者の尊厳を保持しなければならない。惨めでなく苦痛でなく大切にされて

いると言う認識を、対象者に持ってもらうことが肝心である。そして日常生活
上のケアが充実し、日々の繰り返されたケアこそが大切であると説く。
　私たちケア提供者は、毎日のケアのなかで苦痛の微弱なサインをキャッチし
その軽減緩和に努めなければならない。人工補液の問題、酸素吸入（低酸素は、
既述したように脳内エンドモルフィンの分泌により呼吸困難による苦痛は、少ない
か無い）、吸引［自然喘鳴（喉の筋肉の弛緩）との鑑別も重要で、なるべく気管
支分泌物が増強しないように、やや脱水の状態がよい］、摘便、浣腸などで排
泄のコントロールも大切である。いつも摂取量、尿・便の排泄量と排泄回数、
腹部の状態を診て、早期に排泄異常を察知し、対処する。

3. 認知症入居者が食べられなくなった時のケア

　重症認知症の入居者が食べられない経口摂取障害の原因が、重篤な問題とな
る。ただ、老衰のようにゆっくりと摂取量が低下することもあるが、その他、
いろいろと原因が考えられる。治療ならびにケアをする対象は合併症であり、
それらはフレイル・サルコペニア症候群（るい痩、全身疲労感、食欲低下、筋量
と筋力低下による離床・移動困難など）、誤嚥性肺炎・尿路感染等の感染症、口
腔内トラブル、嚥下障害、便秘（嘔吐、腹部疼痛、腸閉塞）、脳卒中や癌の合併、
薬の副作用、電解質異常、そしてうつ状態や心的反応などである。一方では認
知症がゆっくりであるが進行するなかで、増悪していく記憶の喪失、判断・思
考力と実行遂行機能の障害、失行、失認、失語、そして嚥下反射消失から繰り
返す誤嚥性肺炎を誘発する。さらに、徘徊また暴言、暴力を含めての興奮状態、
時にはうつ状態となり、活力の低下もきたす等と複雑な終末期認知症の緩和ケ
アの難しさがある。
　ここに、食べられない状態のアセスメントが必須となる。認知症・老衰（生
命機能の低下）による非可逆的の状態であるか否かを評価しなければならない。
自覚症状、他覚症状はどうか、食べることへの高齢認知症本人、家族の思いは
どうかなどが、重要になってくる。
　日本老年医学会は、高齢者ケアの意思決定プロセスに関するガイドライン[21]
を作成し、人工的水分と栄養補給（Artificial Hydration & Nutrition）（AHN）
の導入を中心とした命についてどう考えるかの価値観が中心のガイドライン

が出されている。生きていることは良いことであり、多くの場合本人の益となるはずと言う基本姿勢から選択肢の害と益を理解し、本人の意思（推定も含む）と人生についての理解、そして最善の方法を認知症本人、家族および医療チームでアドバンス・ケアプランニング（ACP）をすることが推奨されている。その時その時に書き換えられるアドバンス・ダイレクティブ（AD）などは書類化し、皆それにしたがってお互いの共通の理解と共通のゴールに協力することが求められる。

　食事が摂れなかったら一体どうするか。人工的なことはしない、と言う選択肢もある。人の自然な経過について考えてみる。そして、少しも悔いが残らないように十分に考慮することが大事である。価値観は多様であり、これが正しいと言う答えはない。医療・介護従事スタッフからしっかり説明を受けて家族、可能なら親族の意見を一致させることがよい。ここにシェア（共有）の意思決定、すなわちアドバンス・ケアプランニング（ACP）の重要性がある。

　食べられない状態へのケアについては、食べられないのに無理に食べさせない。その一口が誤嚥につながる可能性もある。むしろ、食べる楽しみを支え、少量でもその味を味わって楽しみを感じ取ってもらうことである。症状を観察しながらその他の治療とのバランスを考える。浮腫、気管支分泌物などは、過剰にならないようできるだけ水分摂取を少ない目に抑えておくことが症状緩和につながる。口腔ケアは徹底的に、1日頻回に行う必要がある。そして、家族の死亡前の悲嘆（グリーフ）を緩和させるように十分な家族のケアも忘れてはならない。

　胃ろうについてであるが[22]、重度認知症の経管栄養の有用性は倫理的な理由から、ランダム化比較対照試験（RCT）等のエビデンスレベルの高い研究はされず、胃ろう造設後の生存期間を'後ろ向き'にみた臨床研究が主である。Finucaneらの重度認知症の経管栄養に関する総説[23]によると、末期認知症患者の内視鏡的胃ろう造設術（PEG）を含む経管栄養は、「誤嚥性肺炎の予防にならない」「栄養状態を改善しない」「予後延長にならない」「褥瘡の治癒促進にならない」ことが報告されている。欧米ではこの時期の認知症に対する経管栄養は、基本的には実施すべきではないというコンセンサスである。末期の胃ろうの延命効果については正確なエビデンスがない。予後データにかなりのば

らつき（他の因子の影響も考慮）が多く、胃ろうの効果は個人差が大きい。

　もし導入するのであれば、その時に医師がしっかり適応理由を説明して、関係スタッフ全員の同意を得ることが大切である。これは胃ろうだけでなく、経鼻栄養、中心静脈栄養も同じである。開始の差し控えと中止についても、十分な理解と合意が求められる。既述したが、胃ろうは、幸せな施設生活を送るためのツールになる場合もあるが、一般的に施設では、普通は必要としない。また点滴の効能と限界についても論じ合い、点滴については原則としてその積極的延命効果を勧めないが、消極的な延命効果については、どうしても家族の希望がある場合は、お互いに話し合ってその合意点を設定する必要がある。一般的に施設の終末期ケアでは、中心または末梢静脈栄養管理は勧めない。ただ量的に制限された補液（例えば250〜500ml）などは末梢静脈経由か、しばしば高齢者では末梢静脈血管の穿刺の困難や、その維持で早期の血管外漏出が多いため持続皮下点滴法がよく使用される。少しの延命効果はあるが、より自然死に近い状態でゆっくりと悔いなく最期を迎えることができ、家族側も満足する看取りに立ち会うこともでき、著者はよくこの方法を使用している。しかし、臨終期近くなるとこの静脈・皮下点滴補液療法は中止するのが通常である。実際、全てのケースがゆっくりと苦しみなく静かに最期を迎えている。

　施設重症末期の認知者のケアにおいて、重度から末期に至るこの時期は意思決定の再確認が必要になってくる。前述したように、継続的に口腔ケア、褥瘡を含めての皮膚と排泄の問題、起立・歩行障害から寝たきりの状態への苦痛、次いで嚥下障害、またそれからくる再発性の誤嚥性肺疾患（肺炎を含む）などが主なケアの対象になる。この場合は、経管栄養を施行しても普通は進行的で致命的な栄養状態低下を抑えることはできない。ほとんどの場合が、上記したごとく、末梢輸液1〜2ヶ月以内で量を調節し、できるだけ軽度の脱水状態で最期を迎えるのが、一番自然で苦痛なく、施設入居者側と私たちケア側もほぼ満足して最期を看取ることが可能となる。

　さらに、消極的な延命医療処置を何もしないことも施設での選択ケアの一つである。約1週間から、長くても10日間で苦痛なく自然にゆっくりと平穏に最期を迎えることはできる。しかし、上述の限定した末梢輸液量の投与も、家族の希望で使用されることもある。したがって、具体的な延命治療の決定は、繰

り返しアドバンス・ケアプランニグ（ACP）、すなわちアドバンス・ダイレクティブで（AD）で共有した合意意思決定が必要となる。一般的にADL（日常生活活動）の進行的低下とともに、嚥下障害による発熱、再発性誤嚥性肺炎などにともない意思決定（ACP、AD）としての治療の選択がより理解しやすくなることも知っておくとよい。最期では、合併症の治療とか感染症の治療は、積極的に行わないのが原則となっている。

　あくまでも自然死、尊厳死にこだわりたいものである。重度から末期のアルツハイマー型認知症の身体的症状と治療法と予後を要約した図10-2を参考にするとよい。緩和・終末期ケアの選択肢は、既述したように限られていてACP人生会議で、悔いの無いように特に家族との話し合いの合意が最も大切となる。そのために、次の節でさらに論じよう。

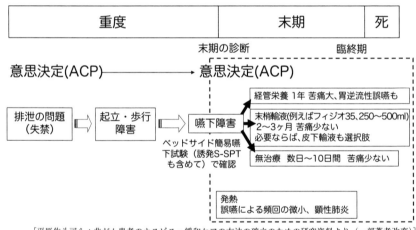

［平原佐斗司ら：非がん患者のホスピス・緩和ケアの方法の確立のための研究資料より（一部著者改変）］

●図10-2　重度から末期のアルツハイマー型認知症における身体症状と治療法と予後

4. 認知症終末期ケアについての'話し合いアプローチ'[24]

　第4章3節で、このアプローチ〜'コンセンサス・ベースド・アプローチ'の概要を記載したが、ここでもう一度終末期認知症の場合のプロセスを具体的に述べる。

　まず、①意思決定に参加する人を決定することから始める。たとえば、直接

介護に関わっていない遠方の息子なども含め、なるべく全員がよい。しかし、家族側に本人代理者は決めておく。②入居者がどのような経過でこのような病にいたったかを説明する。たとえば、アルツハイマー型認知症の自然経過の説明、発症から今日に至る経過、どのように介護され、どのように治療されてきたかを具体的に話す。③今後、入居者の認知症がどのように推移するかという見込みを伝える。たとえば、アルツハイマー型認知症の自然経過として、嚥下反射が消失し、口から食事ができなくなること、治らない再発性誤嚥性肺炎を起こすこと、などを伝える。④入居者のQOLと尊厳について代弁する。たとえば、脳の中の状態を説明する～情動（喜怒哀楽）や快・不快（苦痛）を感じているということ、医療や命に関わるエピソードから本人の推定意思を話し合う。そして、「何が本人の幸せなのかを最も大切にして考えてください」と提案する。最後に、⑤データと経験に基づいたガイダンスを与える。たとえば、延命治療についてのエビデンスを説明する。胃ろう造設の平均1年生存率は40～60％の報告が多いこと、これらのデータはあくまでも平均であって、個別ケースでは実施してみないとわからないこと、それでも迷っている状態の場合は、「私だったら…」「私の経験では…」と私的なガイダンスを伝えるのもよい。以上、5つの基礎ルールにしたがって、認知症入居者の緩和・終末期ケアを進めることが推奨される。

【引用文献】
1. WHOガイドライン：Palliative Care–World Health Organization (https://www.whoint/hiv/pub/_/genericpalliativecare082004.P-)
2. EAPC（European Association for Palliative Care）ガイドライン（https://www.jspm.ne.jp/guidlines/sedation/.../06_2_5.php）
3. Gold Standard Framework（www.eapcnot.eu>EAPCgroups）Reference（https://www.goldstandardsframework.nhs.uk/Resourcess/Gold%20Framework/PDF%20Documents/PrognosticGuidancePaper.pdf）
4. 鳥羽研二（監）2003「高齢者総合的機能評価ガイドライン」厚生科学研究所.
5. 平原佐斗司、他：非癌疾患のホスピス・緩和ケアの方法の確立のための研究資料（2006年度後期在宅医療助成・勇美記念財団助成）.
6. 平原佐斗司（編）2015 『チャレンジ！非がん疾患の緩和ケア』南山堂.
7. Warden V, et al.: Development and psychometric evaluation of the Pain Assessment in Advanced Dementia (PAINAD) scale. J Am Med Dir Assoc. 4(1):9-15, 2003.
8. Benedetti F, et al.: Pain threshold and pain tolerance in Alzheimer's disease. Pain 80:377-382, 1999.
9. Benedetti F, et al.: Pain reactivity in Alzheimer patients with different degrees of cognitive impairment and Brain electric activity deterioration. Pain 111:22-29, 2004.

10. Scherder E, et al.: Recent developments in pain in dementia (Clinical Review). BMJ 330 (7489) : 461-464, 2005.

11. Cole LJ, et al.: Pain sensitivity and fMRI pain-related brain activity in Alzheimer's disease. Brain 129: 2957-2965, 2006.

12. Scherder E, et al.: Pain in dementia. PAIN doi:10.1016, 2009 /J Pain 04.007, 2009.

13. AGS Panel : The management of persistent pain in older persons. J Am Geriatr Soc 50 (6 Supple) :S205-224. 2002 [PMID : 12067390] .

14. Habiger TF, et al.: The interactive relationship between pain, psychosis, and agitation in people with dementia; results from a cluster-randomized clinical trial. Behav Neurol 7036415. doi:10.11551,2016 [PMID : 27247487] .

15. Abbey J, et al.: The Abbey pain scale: a 1-minute numerical indicator for people with end-stage dementia. Int J Palliat Nurs 10 (1) : 6-13, 2004.

16. Mitchell SL et al.: Dying with advanced dementia in the nursing home. Arch Internal Med 164: 321-326, 2004.

17. Reisberg, B. et al.: Functional staging of dementia of the Alzheimer type. Ann NY Acad Sci 435:481-483, 1984.

18. ナオミ・ファイル、ビッキー・デクラー・ルビン（著）、高橋誠一、篠崎人理（監）、飛松美紀（訳）2014『バリデーション・ブレイクスルー～認知症ケアの画期的メソッド』　全国コミュニティライフサポートセンター（CLC）.

19. 本田美和子、イヴ・ジネスト、ロゼット・マレスコッティ（著）2014『ユマニチュード入門』　医学書院.

20. Beck-Friis B: Hospital-based home care of terminal ill cancer patients: the Motala model. Uppsala University, 1993.

21. 日本老年医学会（編）2012「高齢者ケアの意思決定プロセスに関するガイドライン─人口的水分・栄養補給の導入を中心として」(https://www.jpn-geriat-soc.or.jp/proposal/guideline.html)

22. 会田薫子：胃ろうの適応臨床倫理──一人ひとりの最善を探る意思決定のために─. 日本老年学会雑誌　49（2）: 130-139,2012.

23. Finucane TE, et al. : Tubefeeding in patients with advanced dementia: a review of the evidence. JAMA 282（14）: 1365-1370, 1999.

24. Karlawish JH, et al.: A consensus-based approach to practicing palliative care for patients who lack decision-making capacity. Ann Int Med 130: 835-840, 1999.

【参考文献】

● 日本神経学会（監修）　『認知症疾患診療ガイドライン　2017』　医学書院

● 日本看護協会（編）　2016　『認知症ケアガイドブック』　照林社

● 田村洋一郎、他：終末期がん患者の飢餓状態. 緩和医療学 8（4）339-345, 2006.

● 平井栄一、城谷典保：末期がん患者の輸液治療における倫理. 静脈経腸栄養 23（4）613-616, 2008.

● 日本緩和医療学会（編）2007「終末期における輸液治療に関するガイドライン作成委員会」　厚生労働科学研究「第3次がん総合戦略研究事業　QOL向上のための各種患者支援プログラムの開発研究班：終末期癌患者に対する輸液治療のガイドライン」.

● 日本ホスピス・緩和ケア研究振興財団「ホスピス緩和ケア白書」編集委員会（編）「ホスピス・緩和ケア白書2008」日本ホスピス・緩和ケア研究振興財団.

● 社会福祉法人　全国社会福祉協議会、全国社会福祉施設経営者協議会（編）2006「改定介護保険法対応─指定介護老人福祉施設における看取りに関する指針の策定にあたって（全国経営協版）」.

● 社会保険実務研究所：週刊保健衛生ニュース1491号、21年度介護報酬改定の概要、p41-57、平成21年1月19日

発行.

●厚生労働省（編）2007「終末期医療の決定プロセスに関するガイドライン」.

●National Advisory Committee（著）岡田玲一郎（監訳）2001『高齢者のエンド・オブ・ライフケアガイド』厚生科学研究所.

●日本学術会議臨床医学委員会終末期医療分科会：対象報告 「終末期医療のありかたについて―亜急性型の終末期について」―、2008年2月.

●キューブラ・ロス K.K.、ベリ、P.H.、ハイドリッヒ D.E.（編著）、鳥羽研二（監訳）2004『エンドオブライフ・ケア 終末期の臨床指針』 p3, 医学書院：淀川キリスト教病院ホスピス（編）2000『緩和ケアマニュアル、第4版』p34, 最新医学社.

●キュプラー・ロス K.K.（著）、川口正吉（和訳）1971『死ぬ瞬間』p290、読売新聞社.

●柏木哲夫：死にゆく患者の心理プロセス. 淀川キリスト教病院ホスピス（編）1997『ターミナルケアマニュアル, 第3版』p198-200、最新医学社.

●バーバラ・カーンズ（著）、服部洋一（和訳）2002『旅立ち 死を看取る』日本ホスピス・緩和ケア研究振興財団.

●平野真澄：「口から食べたい！」を叶える看護 患者状況別対応法 ターミナル期にある患者、月刊ナーシング第26巻（10）通巻335号、2006.

●Lynn J（著）, 篠田知子（和訳）：Serving patients who may die soon and their families. JAMA 285: 925-932, 2001.

●恒藤暁：最新緩和医療学 最新医学社,p19,1999.

●新津洋司郎（監修）：栄養管理からみたがん緩和治療、真興交易（株）医書出版部、p63-70, 2007.

●池永昌之：がん悪液質症候群とコルチコイドによる症状緩和、静脈経腸栄養23（4）：623-628, 2008.

●特定非営利活動法人シルバー総合研究所（編）：看取りケアと重度化対応ケアマニュアル 特養・グループホーム編 p57-63、日総研出版、2008.

●特定非営利活動法人シルバー総合研究所（編）：看取りケアと重度化対応ケアマニュアル 特養・グループホーム編 p78、日総研出版、2008.

●特定非営利活動法人シルバー総合研究所（編）2008『看取りケアと重度化対応ケアマニュアル 特養・グループホーム編』日総研出版.

●日本医師会 第Ⅸ次生命倫理懇談会（編）2006「平成16、17年度'ふたたび終末期医療について'の報告書」.

●日本医師会 第Ⅸ次生命倫理懇談会（編）2006「終末期医療に関するガイドライン」.

●世界保健機関（編）・武田文（和訳）2006『終末期の諸症状からの解放』医学書院.

●柏木哲夫・今中孝信（著）2005『死をみとる1週間』医学書院.

●新津洋司郎（監修）、倉敏郎、坂牧純夫、赤坂修吾（編著）2007『栄養管理からみたがん緩和治療』真興交易（株）医書出版部.

●Jacqueline Kindell（著）、金子芳洋（和訳）2005『認知症と食べる障害』医歯薬出版株式会社.

●平野真澄：ホスピスケアにおける栄養、臨床看護 第30巻 第1号 通巻402号、2004.

●国立がんセンター・国立病院機構がん栄養研究班：食事に困ったときのヒント（がん治療中の患者さんとご家族のために）「苦しいときの症状別Q&A」、2008.

●鷹野和美：チームケアの幻想から現実へ. ケアマネジメント学 7：5-13、2008.

●在宅医療テキスト編集委員会（編）2007『在宅医療テキスト』 財団法人在宅医療助成 勇美記念財団.

●川西秀徳：高齢者の終末期緩和ケアにおける栄養管理. 日本慢性期医療協会誌72：62-73、2010.

Column 認知症介護ケアパール

　日常生活のなかでの認知症介護ケアパール（楽しみながら、お互いに接する）を紹介する。まず目視する～ゆっくりと、正面から近づく、正面から丁寧にゆっくりとおじぎをするのがよいが、必ずしも丁寧におじぎをしなくても良い場合もある。ほどよい、やや近くの距離をもって（～30cm）、興味ありそうな心温まる、楽しいことをしゃべる～親しみをもって笑顔で、やさしく関連したことをゆっくりとしゃべる。てきぱきとしなく、暖かく、ゆっくりと、落ち着いて話し、所作をする。間違いを直さない。そして、不安・問題行動を起こさないように‘接し方、態度、話し方とその内容、そして所作’に細心の注意を払うことである。この手順は、認知症のない高齢者にも適用できる。

第 **11** 章

意思決定を支える
アドバンス・ケア・
プランニング（ACP）

1. アドバンス・ケア・プランニング（ACP）〜いわゆる「人生会議」とは[1-5]

　さて、アドバンス・ケア・プランニング（Advance Care Planning；ACP）の
コンセプトは、現代の医の倫理にそって、医療機関を想定して作成されたが、
勿論施設にも当てはまる。その定義（図11-1参照）については、自らの意思が
表明できなくなることに備えて、前もって医療やケアについて計画することで
あり、話し合いの時期は人生の最終段階に限ることなく本人、家族と介護・医
療従事者が予め話し合う自発的なプロセスとなる。その仕組みを図11-2〜3に
要約した。本人の同意のもと、もしくはその家族の代理の同意のもとに話し合
いの結果が記述され、定期的に見直され、ケアに関する人々の間で共有される
のが最も好ましい。

定義：人生の最終段階の治療・療養ケアについて、（話し合いの時期は人生の最終段階
　　　に限ることなく、）施設入居者・家族と医療・介護従事者があらかじめ話し合う
　　　自発的なプロセス（いわゆる‘人生会議’）
施設　advance care planning：ACP（自らの意向が表明できなくなることに備えて）
　　　advance 　：前もって
　　　care 　　：ケアや医療について
　　　planning 　：計画する事
仕組み
1. 施設入居者の同意のもと、話し合いの結果が記述され、定期的に見直され、ケアに
　　関わる人々の間で共有されることが望ましい。
2. ACPの話し合いは以下の内容を含む
　　・施設入居者本人の気がかりや意向
　　・施設入居者の価値観や目標
　　・症状や予後の理解
　　・ケア（治療や療養）に関する意向や選好、その提供体制など
（https://www.ncpc.org.uk/sites/default/files/AdvanceCarePlanning.pdf 〜平成28年度厚生労働省委託事業
人生の最終段階における医療体制整備事業　研修資料一部著者改変）

●図11-1　施設アドバンス・ケア・プランニング（ACP）について

　ACPの話し合いは、以下の内容を含むのが普通である。本人が気掛かりな
意向や本人の価値観や目標、病状や予後の理解、そして治療や療養に関する意
向や思考、その他（提供体制など）となる。高齢者介護施設では、しばしば本
人の認知症、老衰、進行した重症慢性疾患などで、自己意思決定が不能か、十
分でない不確かなことが多いので、家族、そして家族がいない時は親族（4親等
内）から代理決定者が決められ、この代理者と施設ケア提供者（医師、看護師、
介護福祉士、ケアマネージャー、管理栄養士、リハビリセラピストなどケアチーム、
特に最初の4職業が中核となる）との話し合いになる。ただし、本人に家族、親
族（4親等内）もいない場合は、民法に規定された成年後見制度[6]が適応となる。
判断能力の程度により後見（判断能力の欠如が通常である場合で、財産を含めて
すべての法律行為を行う）、補佐（判断能力が著明に不十分な場合で民法所定の行為
〜元本の領収や利用する、借財や保障をする、不動産などに関する権利の得喪、訴
訟行為など）、補助（ただ判断能力が軽度から中等度不十分の場合、申立ての範囲内
で家庭裁判所が定める特定の法律行為）の3種類がある。まず、家庭裁判所へ成
人後見制度の利用申請を行い、そこの裁判官によって、第3者の個人では、社
会福祉士、弁護士、司法書士など、法人では、社会福祉法人、株式会社、社会
福祉協議会などから選出される。

　ACPの効用は、ACPを行うことによって本人の自己コントロール感が高ま
る。死亡場所の選定も可能になり、病院死の減少につながる。本人／代理決定
者と施設ケア提供者とのコミュニケーションが改善する。そして、より本人の
意向が尊重されたケアが実践され、本人と家族の満足感が向上し遺族の不満や
抑圧が減少する。しかしながら、高齢者介護施設、とくに介護老人福祉施設に
おいては認知症が圧倒的に多く、ほぼ最期の死に場所は、この施設が多い。介
護施設の入居者が、自己コントロール感を殆んど消失していても、またはあっ
ても家族全員の合意を纏められる適切な代理者がいれば、特に意思決定で問題
になることは少ない。

　ACPの効用を高めるには、主に本人の過去の意向にくわえて、家族と介護
施設のケア従事者、特に医師を中心とする看護師、介護福祉士、ケアマネー
ジャーのチームと代理決定者との話し合い（ACP）が必要時に行われることで
ある。今後何時話し合うかは、特に決めたいものはないか、これからのケアの

希望、入居者の疾患の予後、現在とこれからのいろいろの疑問に思っていることの質問などが内容となる。

　状態が比較的に安定しているとき、判断が差し迫っていないとき、また手術・入院など大きな疾患を乗り越えたときなどは、最もACPを話しやすく十分な時間をもって行わなければならない。したがってACPは、心肺蘇生（DNAR）など生命維持治療の差し控えも含み、初期から本人と家族ならびにケア従事者（医師、看護師、介護福祉士、ケアマネージャーなど）との間の話し合いによって決められることになる。すなわち、インフォームド・コンセントとは異なり、共有の意思決定（シェアド・ディシジョン・メイキング）（Shared Decision Making）（SDM）と言うことになる。本人の社会観を重視する社会的要請と根拠に基づく医療の普及によって明らかにされてきたエビデンスが不十分な医療行為の存在から、近年インフォームド・コンセントを補う方法として意思決定の方法、すなわち合意形成の手法としてのシェアド・ディシジョン・メイキングが注目され、実際それが導入されている。

　したがって、従来実施されてきたプロセスは、当事者本人と家族代理者との間での同意意思表示には医療・介護者、なかでも医師が介入することになるが、シェアド・ディシジョン・メイキングは早い時期から本人の人生観、価値観を共有し、本人、家族代理人そして医療、介護者との話し合いでエンド・オブ・ライフ（終末期）における医療・介護の選択決断のプロセスである（図11-2参照）。

　また、意思決定権の過程が複雑困難であり、その本人の意向とその理由が不明であるような場合は、なるべく私たち医師ならびにケアスタッフがそれをサポートし、啓蒙しなければならない。代理決定者自身の希望、意向、ニーズと本人の意向を区別することは難しい場合もあるが、意思決定のあり方を十分に説明して理解していただいておれば、高齢者介護施設においては特に問題になることは少ない。

　しかし、代理決定者の裁量権も十分に理解しておく必要がある。意思決定プロセスについては、図11-3にその厚生労働省ガイドライン（2007）[1]より引用してあるので参考になる。入居者の意思が確認できる場合は、話し合いで合意に達することができる。共有した意思決定（SDM）が可能であるが、もし、入居者の意思が確認できない場合には、それぞれ3つの可能性がある。1) 家族（代

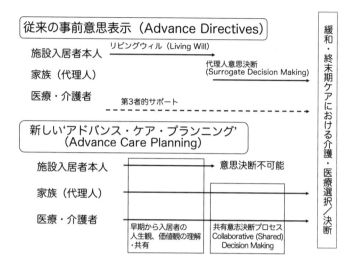

●図11-2　EOL（end-of-life）における介護・医療の意思決定プロセス（著者作成）

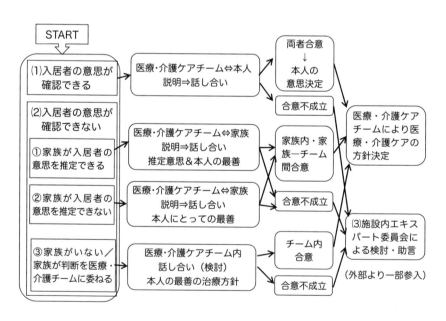

●図11-3　厚生労働省ガイドライン（2007）による意思決定プロセス（施設用に一部著者改変）

理決定者を含めて）が入居者の意思を指定できる、2）家族は、入居者の意思を推定できない、3）家族が、判断を介護・医療ケアチームにゆだねる場合であるが、それぞれ最も合理的な実践方法で合意に達するような仕組みになっている。もし家族側とケア側とが合意に達しない場合は、その施設の専門家委員会で検討、助言を求めて、再び医療・看護・介護ケアチームと家族との話し合いで合意に達するように努力をする。

　高齢者の意思決定について、米国の高齢者死亡者の4人に1人以上が自分自身の終末期医療に関する決定権を欠いていた、という報告がある[7]。事前ケア計画（ACP）のあるグループは、本人の終末期の希望が認識され、尊重される傾向にあり、死亡した本人の遺族のストレスや不安、うつも対照群に比べ少ないと報告しており、可能な限り早期から意思決定を支援することが推奨されている。また、死に逝く本人にかわる意思決定を行った代理人の3分の1強が精神的に負の影響を受けているという報告もある[8]。

　高齢者の意思決定を、支えることが必要である。まずは高齢者の生きてきた人生を知ることであろう。現在を理解するためには、過去の生活にも目を向ける必要がある。自己概念、価値観、人生感、死生観などは高齢者の意向を汲み取る手掛かりとなる。死の受容については、年齢が高くなるにつれて死を意識するが、その恐怖感はない。そして死を受容する場合が多い。

　前章で述べた施設高齢者の認知症入居者における‘スピリチュアリティ’の問題も真剣に話さなければならない[9, 10]。既述したように、認知症の入居者が、ただ話せないだけで本人が反応できないとか、聞こえないことを意味するのではないことを家族に気づかせる。彼らの反応がどうであれ、語る必要のあることを話す重要性を述べておく必要がある。

　つぎに、「最後に向かっての心づもり」として、一般市民が持つ希望を図11-4に示した[11]。心身の機能活動がだんだんとゆっくりと落ちついていく時点で、心身のポテンシャルの低下に相応して希望、共用する医療ケアの内容が変化していく。つらい後遺症が伴うような長持ちライフを目指す医療は、前記の如く私たちは推奨しない。‘治療中のつらさもあまり我慢したくない’、についてはできるだけそれの緩和を薬物、非薬物的に対策をとる。食べられなくなったら終わりでよいかどうか、日本ではまだその一般的な考えは、纏まって

いない。しかしながら、本人の自己判断ができるうちに、家族もどうしてほしいかについて、悔いのないようにお互いに合意に達しておくことが大切となる。

〜心身の機能・活動の低下に相応して、
希望・許容する医療・ケアの内容が変化する〜

（終末期医療に関する意識調査検討会, 人生の最終段階における医療に関する意識調査報告書2014
https://www.mhlw.go.jp/bunya/iryou/zaitaku/dl/h260425-02.pdf）（一部著者改変）

●図11-4　人生終末期に向かっての一般市民の希望

　従来実施された'End of Life'（終末期）の意思決定プロセスは、入居者本人と家族の事前意思表示があり、それに経時的に医療・介護者が介入していた。しかし、本人と家族代理人による'End of Life'における医療・介護の選択、決断は、現在欧米の国と同じように前述のSDM（Shared Decision Making）、すなわち'共有の意思決定'としてのACPが一般的に普及されてきた（図11-2参照）。すなわち、入居者本人、家族（代理人）と医療・介護ケアスタッフとが、早期から本人の人生観、価値観を共有し、お互いに理解して合意に達したケアを頻回に話し合いつつ、最期まで継続することになる。そして、満足すべきはケア提供側ばかりではなくて、家族は勿論、特に本人が満足して亡くなっていくことがより大切である。本人が認知症の場合でも、家族やケア提供者ともに本人が、このような希望をもって平穏に逝ったと悔いのない思いが残らなければな

らない。

　さて、以上をまとめてみると、まず意思決定は認知症があろうがなかろうが、全ての介護施設高齢者入居者に事前指示が可能な場合は、その本人の自立性を尊重して施行すべきである。ACPは、ケア計画事前策定のプロセスであり、一緒に考え合意ベースで原則として本人が選択する。しかし、施設では、家族、特にその代理人が本人の意思決定に重要な役割を持つ。

共有意思決定（SMD）は、最も現在使われている基本的な緩和終末期ケアの意思決定の方法である。一方、後で述べるポルスト‘POLST’（Physician Orders for Life Sustaining Treatment）、これは生命維持に関する医師の指示書（日本語版にも翻訳されている）であり、本人の意思を確認したうえで医師がオーダーをするのである。以上の方法の中で、やはり医師がすべてに責任を持ち、纏めての意思決定プロセスであるべきと著者は思う。くわえて、認知症の意思決定については、前章と上記にしたがう。

2. ACP 関連指示計画書の理解

　まず、‘アドバンス・ケア・プランニング’（ACP）（ケア計画事前策定プロセス、いわゆる人生会議で一緒に考え、合意ベースで、本人と家族とのSDMで可能）、‘アドバンス・ダイレクティブ’（AD）［事前指示：可能ならば、本人が一人で決める（本人の自立性）か、必要な場合は、選出された代理人が決める］、‘エンド・オブ・ライフディスカッション’（EOLD）（人生最期の話し合い）、そして‘ポルスト’（POLST）（生命維持治療に関する医師の指示書で本人が医療処置の意思を確認した上で医師がオーダー）が意思決定手順のなかで包括されることを理解する [1, 3, 12]。

　そして、これらは今後の施設療養・治療について入居者、家族と医療・介護従事者が予め話し合う自発的なプロセスである。認知症でない限り本人の同意のもと話し合いの結果が記述され、定期的に見直され、ケアに係る人々の間で共有されることが鍵となる。

　‘ACP’の話し合い内容とその必要性については、既に述べた。本人の意思ならびに家族の意向とか医療・介護的ケア判断によって、本人にとって最善のケアの医療と介護が必要である。しかし、エンド・オブ・ライフ（EOL）のダイ

アリー（日記）としてライフレビュー（生活史）を、もし75歳とした場合、若い頃からの、少なくとも40代からのライフオブレビューも必要である。その時点での過去、現在、未来から段々と最も現在につながる一連の過去のプロセスを十分に理解すると、一層本人の内面の本当の状況がわかり心のケアと当事者の意思決定の支援に役立つ。

　しかし、限界もある。医療・介護ケアチームから十分な本人への説明、話し合いなどは、進行した脆弱老人や認知症の多い介護施設、特に介護老人福祉施設では難しく、そのチームと家族、特に代理者との話し合いの推定意思で本人のケアの在り方を話し合うことが普通である。もし合意が不成立の場合は、前述の如く、施設における経験豊富な第三者スタッフ、外部専門家も入れたエンド・オブ・ライフケア（EOL）エキスパート委員会（仮名）での検討・助言を受けることになる。

　さて、ACPに関連した従来の意思決定手段は、ACPの内に含まれている。ACP、AD、LW、ポルスト（POLST）、心肺蘇生（DNAR）の関係は図11-5にまとめた。ACPは、話し合いの結果としてADと代理意思決定者（代理人）の選定であり、その中にDNARを含めての延命に関する医療行為をする、しないを含むLWが含まれることになる。AD、LW、DNARは、基本的に文書として表されることが目的であり、それに比べてACPは話し合いのプロセス自

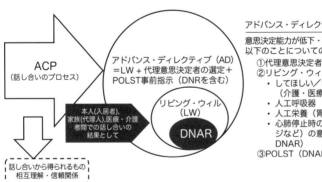

［木澤義之（資料3）（平成29年8月3日）アドバンス・ケア・プランニング；いのちの終わりについて話し合いを始める。(www.mhlw.go.jp/file105-shingikai…/0000173561.pdf)（一部著者改変）］
(DNAR ~ Do Not Attempt Resuscitation; POLST ~ physician Orders or Life Sustaining Ireatment)

●図11-5　ACP、AD、LW、POLST（DNAR）の関係

体を指す。

　医師のためのポリスト（POLST）は、DNAR（心肺蘇生術、CPR）を含んでおり生命を脅かす疾患に直面する入居者本人の医療処置（蘇生処置を含む）に関する意思の表示である。その指示書フォームの日本語版は、日本臨床倫理学会のホームページ（HP）よりダウンロードできる[12]。心肺蘇生を含む医療的処置には、最大限の医療処置、限られた範囲の医療処置、緩和中心の医療処置、また追加の指示などがあり、たとえば人工的な栄養補給として、長期にわたって行う場合とか一定の試験期間を定めて行う場合がある。さらに、人口栄養補給を行わないという指示の項目があり、最後は署名となっている。施設看護師、介護福祉士、ケアマネージャーなど、直接にACPに参加するスタッフは、このPOLSTの内容を予め検討し、理解しておくことは各々自分たちの参加する終末期ケアに必須である。

　最後に要約してみると、ACP（人生会議）は、ケア計画事前策定プロセスであり、一緒に考え合意ベースで本人が原則として選択する。本人が意思決定できない時は、意思決定代理人が必要となる。

　シェアド・ディシジョン・メイキング（SDM）は、現在最もポピュラーに使われている。ポルスト（POLST）は、医師による生命維持に関する意思の指示オーダーであり、本人の意思を確認したうえで医師が、エンド・オブ・ライフ（EOL）において、どのように医療ケアの導入を計るかの話し合い・契約である。

　したがって、高齢者の最期に向かってのケアで、緩和ケアは当然であるが、終末期ケアに向けてのACPを通して十分に本人（可能ならば）、家族（特に代理意思決定者）ならびに施設ケアスタッフとの同じレベルの話し合いで、お互いに理解して合意に達することができる。

【引用文献】
1. 厚生労働省（編）2007「人生の最終段階における医療"における決定プロセスに関するガイドライン　平成19年5月（改訂27年5月）」.
2. 日本医師会（編）（HP）2018「終末期医療、アドバンス・ケア・プランニング（ACP）から考える」.（https://www.med.or.jp/doctor/rinri/i_rinri/006612.html）
3. 木澤義之（資料3）「アドバンス・ケア・プランニング；いのちの終わりについて話し合いを始める。」2017.（https://www.mhlw.go.jp/file105-shingikai…/0000173561.pdf）
4. Advance Care Planning: A Guide for Health and Social Care Staff. National End of Life Care Programme.

(https://www.endoflifecareforadults.nhs.uk/assets/downloads/pubs_Advance_Care_Planning_guide.pdf)

5. 京都地域ケア推進機構（編）2018「アドバンス・ケア・プランニング（ACP）の手びき　考えてみよう「人生の終い支度」と医療（看取りに関するリーフレット」. (https://www.kyoto-houkatucare.org/wordpress/wp-content/uploads/2018/04/acp_leaflet_a4.pdf)

6. 法務省：成年後見制度～成年後見登記制度. (https://www.moj.go.jp/MINJI/minji17.html)

7. Detering KM, et al.：The impact of advance care planning on end of life care in elderly patients: randomized controlled trial. BMJ 23 (10) 340: c1345, 2010.

8. Wendler D, et al.: Systematic review: the effect on surrogates of making treatment decisions for others. Annals of Internal Medicine 154 (5) 336-346, 2011.

9. HAM　人・社会研究所（編）2017「認知症の人の意思決定能力を踏まえた支援のあり方に関する研究事業、報告書」. (https://www.mhlw.go.jp/file/06-Seisakujouhou.../9I_/HAM.pdf)

10. Kirchhoff, KT, et al. : Effect of a disease-specific advance care planning intervention on end-of-life care. JAGS 60: 946-950, 2012.

11. 終末期医療に関する意識調査等検討会 2014 「人生の最終段階における医療に関する意識調査報告書」. (https://www.mhlw.go.jp/bunya/iryou/zaitaku/dl/h260425-02.pdf)

12. 日本臨床倫理学会（編）2019「DNAR指示に関するワーキンググループの成果報告」　日本版POLST（DNAR指示を含む）作成指針　POLST（Physician Orders for Life Sustaining Treatment）. (https://square.umin.ac.jp/j-ethics/workinggroup.htm)

【参考文献】

● 西川満則：地域におけるアドバンス・ケア・プランニングとエンド・オブ・ライフケア－患者・家族のメンタル支援. Jpn J Rehabil Med 54（6）: 425-428, 2017.
● 平成28年度厚生労働省委託事業 2016「人生の最終段階における医療体制整備事業―研修資料」. (https://www.ncpc.org.uk/sites/default/files/AdvanceCarePlanning.pdf)

Column　施設における終末・臨終期入居者の家族とのコミュニケーション

　　終末・臨終期で介護・医療提供者が、家族との効果的なコミュニケーションで重要な10ポイントを下記に纏めた。参考にして欲しい。

1. 「今、何が一番心配ですか？」「○○○さん（入居者）をみておられていかがですか？」とまず聞いてみる。

2. 分かち合うようにする。

3. 現在の症状と将来予測されている症状を伝え、急変の可能性もあることを伝える。

4. 最善を尽くすことを伝える。

5. 症状緩和の保証を与える。

6. 家族に説明を求められる前に、こちらから先に説明をするように心掛ける。できれば、多くの家族に同時に説明をするのが良い。

7. 家族にできることを伝える。

8. あらかじめどの程度のお世話をしたいと思っているかを聞く。

9. ○○○さん（入居者）は苦痛から次第に解放されていくことを、しっかりと説明する。

10. 看取り時にそばについたほうがよい家族を確認して、あらかじめ手配を整える。

第12章

看取り時のグリーフ（悲嘆）と遺族の精神的問題への対応

1. グリーフ（悲嘆）とそのプロセスを理解する

　高齢者介護施設では、入居者死亡後の家族によるグリーフへの反応は、必ずしも以下に記載した内容とは一致しない。しかし、私たちケアを提供している者として、一般的に'人の死'のグリーフについて十分な理解をしていることが求められる。これは、人間として悲哀・悲嘆の感情を学習、経験することが、思いやりのケアの仕事に役に立つからである。

　「愛児を失うと親は、人生の希望を奪われる。配偶者が亡くなると、共に生きて行くべき現在を失う。友人が亡くなると、人は自分の一部を失う。親が亡くなると、人は過去を失う」[1]と、E.A. グロルマン（アメリカ・マサチューセッツ州のユダヤ教聖職者、1925年生まれ）が言った。グリーフ（悲嘆）の本質を的確に表現している。

　グリーフ（悲嘆）とは、死別者の中で揺れ動く心身の反応のことを言う。日本人が感じる悲嘆は欧米人のそれとは若干異なり、およそ4つに分かれるという。(1) 死亡そのもの、(2) 疎外感、(3) うつ的な不調、そして (4) 順応の努力からくる悲嘆である[2]。死別者は、'(1) 〜 (3)'の心的反応（喪失感情）と'(4)'現時の心の葛藤への対処の内、(4) が家族の死別後の心の'しこり'になる場合が多い。131名の報告例[3]によると、患者の世話が十分できなかったが30％、ホスピスへの入院が遅れたが25％、真実を隠した20％、外出外泊ができなかった19％、看取りに間に合わなかった3％、特になし8％で、大部分が最初の4行為であった。私たちの経験でも愛する人と死別するとどんなに一生懸命、悔いのないように心込めてケアをしても、後に心に残るものが必ずあるのが普通であろう。

　したがって、'グリーフ'（悲嘆）[3,4]には、喪失によって起こる精神・心理的、身体的症状を含む情動的反応、すなわち心理的な心が閉じる反応であり、

日常生活の精神・行動変化でもある。そして、これらが相互に反応しあってグリーフと理解する。対象喪失（オブジェクト・ロス）は、愛情依存の敬愛対象の死や別離、住み慣れた環境や役割などからの別れであり、アイデンティティ、自己の所有物、身体的自己の喪失などがある。そして予期的グリーフ（悲嘆）（Anticipatory Grief, Anticipatory Moaning）もあり、高齢者介護施設を例にすると、死を予期してのグリーフ（悲嘆）だけでなく、病気の進行に伴って施設入居者の家族、介護・医療者などが経験する多様な心理的・社会的・身体的（物理的）喪失に対する反応も含む、過去、現在、未来の喪失となる。包括的グリーフである。

'グリーフ（悲嘆）'は私たちの人間関係がもたらすものであり、これを否定することは、私たちが価値あるものとして尊重しているものを無価値にするほど、私たちの根源に関するものである。これにどう対処するかは、私たち自身の生き方が問われている。その心理的、身体的反応があり、普通は、両者混合パターンで、それぞれの反応の強さは、個々別で異なる。まず、心理的な反応として、長期にわたる愁訴の情けなさ、空しさ、感情の麻痺、怒り、恐怖に似た不安を感じる、孤独、寂しさ、許せなさ、罪悪感、自責感、そして無力感などの症状として現れる。次に、身体的所見は睡眠症状、食欲障害、体力の低下、健康観の低下、疲労感、頭痛、肩こり、眩暈、動悸、胃腸不調、便秘、下痢、血圧の上昇、白髪の急増を感じる。また自律神経失調症、体重減少、免疫機能低下などの身体の違和感、疲労や不調感を覚える反応でもある。

いったん死亡された後の残された家族がどのようにグリーフ（悲嘆）から回復していくかという一つの経時的プロセスは、死にいくプロセスとして前述の'キューブラー・ロス'の5段階の経過とよく似ている。対象消失から否認して現実検討となり、抑うつ状態から受容して、さらにそこから新しい第2の人生を歩んでいくという再適応のプロセスのステージングを、フィンク危機モデル[10]とデーケンの12段階モデル[11]と合わせて図12-1にまとめた。必ずしもこの全てはこの通りに進行しなくて、スキップすることもあるし、その一部だけである場合もある。

さらに、このプロセスを分析してみると、正常なグリーフワークとは、①ショック期、②喪失期、③閉じ籠り期、そして④再生期のようなプロセスでグ

リーフは経過をとる。上述のフィンクの危機管理4段階は、デーケンの12段階のグリーフプロセスと適合する[10,11]。死別などによって愛する人を失うと、愛する人の死がとても大きくショックとなり現実的存在感が喪失したり、正常な判断ができない状態（ショック期）になる。喪失期は、死を未だ十分に受け入れられず強い感情（自責感　怒号　怒り　敵意）がでてくる。生前の故人と同じ症状がでたり、故人の死の原因を第三者に押し付けたりすることもある。閉じ籠り期は完全に死を受け止めた結果、生きる意味を失い'うつ状態'、さらにある者は'うつ病'になる。故人の死の原因は、自分なのではないかと問うたり自責感に襲われる。そして再生期には、愛する人の死を乗り越えて社会人として新たなスタートができ、人に接することも積極的になっていく。ここまでの期間は、配偶者の死別の場合1、2年ほど[14]、子供の死別の場合は2〜5年ほどと言われている[15]が、著者もいれて個々別で相当異なる。

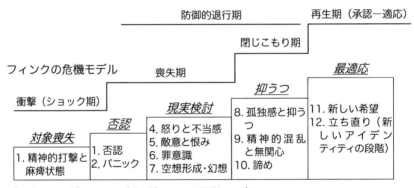

デーケンのグリーフ（悲嘆）の12段階モデル

（小島操子（著）2018『看護における危機理論・危機介入，フィンク／コーン／アグイレラ／ムース／家族の危機モデルから学ぶ』金芳堂（第4版）；アルフォン・デーケン（著）2011『新版 死とどう向き合うか』NHK出版）

●図12-1　フィンクとデーケンによるグリーフ（悲嘆）のプロセス

2. グリーフケアについて[2,3,5-8]

　どんな遺族でも、「もう少しお世話ができればよかった」、「十分に世話ができたのだろうか」と思うことは多い。前述したように、遺族が、病的グリーフを持つ場合もある。この病的グリーフは、グリーフが長期化するか非常に強度になって、グリーフのプロセスのどこか一つのステージにグリーフが抑制され

ている、あるいは止まっていて、一部上記したようにうつ病、心身症、強迫性障害、不安障害、薬物・アルコール依存症、家族内の問題などを引き起こしうる。さらに、罹患率や死亡率、自殺率が高いことも報告されている。そして、死別体験者が喪失に適応するのが困難だと感じている場合である。死別体験者の10～20％は、喪失に引き続いた病的グリーフ（悲嘆）に至っているとも推定される。

　死別後の援助は、一般の遺族はもちろん、病的グリーフ（悲嘆）を持つと考えられる人々には特に有効であると考えられる。このようなとき、ケアに関わったスタッフが家族とともに入居者の想い出をたどり、できるだけのことはやったということを確認することは、残された家族にとって深い心の癒しになることがある。

　グリーフケアとは、身近な人の死別を経験し悲嘆に暮れる人を傍で支援することで、悲しみから立ち直れるようにすることである。グリーフは、深い悲しみを意味する。相手に寄り添う姿勢が一方的に励ますことよりも大切であるとされている。グリーフケアワークという長期にわたって特別な心の状態、悲嘆を経てこの悲しみを乗り越えていく過程を支援し、最終的には遺族が立ち直れるまで傍でのケアを目的とする。

　グリーフケアの分類は、誰にもおこなえるケアと一定の形式や手続きによる援助、そして治療的介入などがある。グリーフケアは、遺族の声にじっくりと耳を傾けて気持ちに'寄り添う'といった、いわゆる'心のケア'だけでなく専門家の介入による治療や社会資源に関する情報提供など遺族の生活に関わるサポートとして問われることも必要である。しかし、後述するように、私たち施設ケア提供者は、グリーフに苦悩する家族に、心暖かく'思いやり'と'共感'をもって寄り添うことが最も重要であることを経験する。

　日常生活や行動の変化として、ぼんやりする、涙が溢れてくる、死別をきっかけとした反応性の'うつ'により引き籠る、また落ち着きがなくなりより動き回って仕事をしようとする。故人が所有していた'ゆかりの物'は、一時回避したいと思いに捉われるが、時が経つにつれて愛しむものに変わってくる。

　家族全体の精神的問題として、102例を1人が複数の選択をした分析報告[15]によると、看病疲れが27％、患者と取り巻く人間関係16％、経済的問題16％、

気持ちの葛藤10％、予期悲嘆の問題9％、病名告知8％、患者の死がもたらす変化7％、身辺整理6％、埋葬6％、患者の死が受け入れられない5％、患者のケアの不服による1％、その他が15％、特にないのが44％と報告されているが、約50％近くは問題ないという結果である。またグリーフで、深刻な問題で長期化する病的グリーフは、私たちの経験ではごく少数であろう。

　私たちが経験する遺族の言動から死亡前・後の'家族'のグリーフは、'本人の様子を教えて欲しい'、'できるだけできるケアをしてあげたい'、'こんなに早く逝ってしまうとは思わなかった'、'最期が安らかであってほしい'、'息を引き取るとき傍に居たい'、'せん妄になった家族の姿が辛い'、'身体をさすってあげなかったことを後悔している'、'優しくされるとくずれてしまいそう'などなどがある。

　以上は当然、高齢者介護施設にも当てはまる。このような'語り'とか'行為'をあらかじめ想定して、事前に家族の予期グリーフケアとして死亡前から死亡後を考えて対策していく必要がある。しかし、一般的に私たちの施設の経験では、ほとんどの家族に精神的問題があるのは、一時的で長期への影響は少ない。さて、グリーフケアの最も基本的な行動は、家族に'寄り添う'ことであることは、述べた。このことは、入居者のケアの基本姿勢と同様である。家族にはこころが揺れたり、葛藤できるように'寄り添う姿勢'が求められるのである。「泣くことを支え、語ることを支え、そして怒ることを支えて、あなたはあなたのままで良いというケア」が奨められる。

　さらに、悲しみを癒すために'7つのアドバイス'がある。[4,5]　①他者の悲しみの体験について知る。②故人にできたことを想い出す。③あなたの今の気持ちを誰かに話す。④あなたの気持ちを手紙に書く。⑤身体に良いことをするように心がける。⑥周りの人の助けを受け入れてみる。そして、⑦遺族会などの集まりに参加する、など提唱されている。くわえて、同じく悲しみの乗り越え方[13]を記すと、悲しみを否定せず受け容れて、最も表現しやすい方法で表現する。悲しみを誰に話すか、自分の話をきちんと受けとめてくださる方に話す。「そうね、そうね、と相槌をうって話を聞いてくれる人の選定」がよい。今を生き抜いて、時間をかけること。時の経過が傷を癒してくれる。他人と、自分との新しい出会いを模索する。必ず、何らかの関係を見出す。他人を評価する

のだけでなく、相手を信頼すること。信じて、耳を傾ける。人生は、小さな喪失を積み重ねることで、喪失体験は成長とともに、対象を変えつつ、やがて家族を失ったり、自分自身の死と向き合ったりという大きな喪失体験へと向かう。そして、それに堪えて生きていくことを学ぶ。それは、生きていく経験で教えられることである。これらは、全ての愛するひとを失った人々のグリーフのケアに役に立つ。

　したがって、グリーフケアは、施設でも重要な仕事であり、予期的時期から喪失を悲しむ家族を支えることが大切となる。まずコミュニケーション、特にグリーフや罪悪感についての感情を平常に戻すことに最善を盡さなければならない。どの家族メンバーにも困っていることがある〜今までこのようなことを考えたことがない、また多くの異なる感情を持っている、など〜拒否と受容のバランスの葛藤である。そして、最高のプランと最も悪いプランと両方のバランスも必要である。'さよなら'、'ありがとう'、'愛しているよ'、'ごめんね'など、家族が大事な思いを言えるように準備をすることを忘れてはならない。

　さて、ここでグリーフケアのポイントをまとめると、その人にとって真実を尊重して聞く姿勢、受容と共感、自然な反応であることを保障すること、語ることを支える、泣くことを支えること、怒りを受け止めること、そして男性遺族は特に余り感情を外に出さないことへの配慮であろう。グリーフが表面化するときは、できるだけその可能な環境を作ることが大切である。今に焦点合わせる。今、なにがグリーフケアに必要であるかを大切にする。そして、身体および精神症状を把握して、それらについて対策が必要となる。家族への一般的なグリーフケアは、家族の問題、家族とのコミュニケーション、予期グリーフへの援助、死の受容への援助、看取り時の家族ケア、そして医療ケアと全て包括的に含まなければならない。

　次に遺族の支えとなる大切な指針をくわえておく。'傍にいる'、'共感的に傾聴する'、'亡くなった人についての話を促す'、'感情を表出しても良いことを伝える'、'経験していることや感情は正常なことであることを保証する'、'日常生活や身の回りのことに向きあうように促す'、'アルコールや喫煙など破滅的な行動がないか注意をはらう'、'亡くなった人の病気に関する情報を提供する'、'家族や周りの人にサポートの方法を教育する'、'自分自身の喪失や悲し

みについてふりかえる'、'ホスピスなどの地域のサポート資源を紹介する'などである[14]。

3. 施設介護職スタッフの看取り前後のグリーフケアの実態

　高齢者介護施設では、とくに老衰死の多い介護老人福祉施設の介護職スタッフは緩和・終末期ケアの介入に、24時間、死に逝く入居者のケアが必要なので常時、グリーフとそのケアを経験せざるを得ない。ゆえに、否応なくその重要性を認識して介入しているが、看取り中の家族へのグリーフケアが中心となり、看取り後のグリーフケアについてはまだまだ改善の余地がある[15]。この一つの要因は、現実的問題としての施設介護職スタッフの不足にあるとしても、もっとその必要性に気づくことも大切である。

　以上のことからも、介護事業所や高齢者介護施設、特に介護老人福祉施設では、介護職スタッフの緩和ならびに終末期グリーフケアばかりでなく、看取り後のグリーフ啓蒙教育も求められる。私たちの介護老人福祉施設では、年一回施設全体研修会で、筆者は、このグリーフケアを含めて'施設緩和・終末期ケアと看取り'についての座学セミナーで教え、また施設入居者の看取りとそのグリーフケアを毎日のケアのなかで、教示している。

【引用文献】
1. グロルマンE.A.（著), 日野原重明（監訳), 松田敬一（訳）2011『愛する人を亡くした時（初版)』春秋社.
2. 日本グリーフケア協会（編）2019「グリーフケアとは」.（https://www.grief-care.org/about.html）
3. 広瀬寛子（著）2011『悲嘆とグリーフケア』医学書院.
4. 坂口幸弘（著）2010『悲嘆入門—死別の悲しみを学ぶ』昭和堂.
5. 古内耕太郎, 坂口幸弘（共著）2013『グリーフケア　見送る人の悲しみを癒す～「ひだまりの会」の軌跡～』毎日新聞社.
6. 小野若菜子（著）2013『地域に根ざした看護職が行うグリーフケア～思いやりのあるまちづくりをめざして』健康と良い友だち社（制作).
7. 坂口幸弘,（著）2012『死別の悲しみの向き合うグリーフケアとは何か』講談社.
8. 水野治太郎（著), 生田かおる（著）2017『ナラティブ・アプローチによるグリーフケアの理論と実際「語り直し」を支援する』金子書房.
9. 日本ホスピス緩和ケア協会（編）2018『緩和ケア病棟運営の手引き,2018年追補版』日本ホスピス緩和ケア協会.
10. 小島操子（著）2018『看護における危機理論・危機介入,フィンク／コーン／アグイレラ／ムース／家族の危機モデルから学ぶ』（第4版）金芳堂.
11. アルフォン・デーケン（著）2011『新版 死とどう向き合うか』NHK出版.
12. 平成22年度兵庫教区住職研修会資料　仁照寺　江角弘道（著）2010『グリーフケアについて』.（https://

www.mariko-inochi.com/jinshouji/houwa/grief10-6-21.pdf）

13. 高木慶子（著）2011『悲しみの乗り越え方』角川書店.

14. 悲嘆回復ワークショップ（編）HP「愛する人を喪った悲しみを癒すために〜悲嘆回復とは悲嘆回復ワークショップ」.（hitan.net/01-hitan.html）

15. 一般財団法人セルフケア・ネットワーク（編）2016『介護職の看取り、およびグリーフケアのあり方の調査研究〜現状調査と今後のあり方に関する考察〜』一般財団法人セルフケア・ネットワーク出版.

第 13 章

新型コロナウィルス感染症パンデミック時の緩和・終末・臨終期ケアの実情と対応

　この章では、新型コロナウィルス感染症のパンデミック環境で介護施設内感染と介護崩壊の危惧の中、新型コロナウィルス対策強化、特にその予防を通しての施設における緩和・終末・臨終期のケアについて、私たちの経験も含めて述べよう。重要なことは、このパンデミック、またパンデミック時の施設高齢者の緩和・終末・臨終期の看取りケアの本質は、これまで本書で述べてきたこととは何ら変りはないことである。ただ、この異常事態での施設全体の感染対策が、日常のケアばかりでなく、リスクの高い高齢者介護施設の中に取り込まれていなければならない。そして、入居者の安全と安心が確保されていることである。

　まず、今の私たちの国の現状から述べる。

1. 新型コロナウィルス感染症のパンデミックの日本における状況 (2021 年 1 月中旬現在まで) [1-4]

　2019 年 12 月に中国湖北省武漢から発生した新型コロナウィルス感染症 (COVID-19) は、今 (2021 年 2 月上旬) も世界でパンデミックが続ている。わが国においては、2020 年 1 月 15 日に最初の患者が報告されて以来、その 3 月の後半から急速に増加し、4 月半ばをピークにして 5 月にかけて第 1 波として、特に関東、愛知, 関西、福岡で猛威を振るった。2 類感染症に指定 (1 月 28 日閣議決定) され、2020 年 4 月 7 日に国家緊急事態宣言となり、厳密な 3 密対策、マスク着用、手指衛生的消毒、換気などで新規患者数もドラマテックに制圧近くまで抑えこむことができた。一方、経済的影響が強く、不況と失業の増加で国民の不安と過度のストレスを導き、新型コロナショックを言われるほど、相当の打撃を社会に与えた。上記の宣言は、5 月 25 日に解除された。

　しかし、それも、一時的減少であり、再び同年 7 月から 8 月にかけて、新規

感染者が急増して大都会から地方へ広がり、感染経路不定の市中化した新型コロナウィルス感染症が第2波として拡大した。そして、その低いピークが過ぎ減少したが、新規感染者数はほぼ維持され、それ以上の減少は見られなかった（2020年9~10月）。

さらに11月から12月へかけて、第一波より著明な新型コロナウィルス感染症の新規感染者数がうなぎのぼりとなり、Go toキャンペーンの推進と共に、再び、国家緊急事態宣言の必要性が議論された。しかし、上述の経済不況への落ち込みも心配され、札幌、大阪、後に東京のGo toキャンペーンは、一時的に取り下げられたが、この急速な新患者層の高齢化と重症化が問題になってきた。さらなる止まらぬ病床危機で医療緊迫状態となり、12月初旬には、感染の爆発的拡大のステージ4の指標にまでになった。重症病床使用率も、ゆうに50％以上の大都市の病院の状態が報じられ、医療崩壊の可能性も危惧された。

今までより、もっと厳重な自粛、特に65歳以上の高齢者と基礎疾患のある人の外出自粛が要請され、上記のGo to キャンペーンも、年末・年始以来、全国的に一時中断されることとなった。個々一人ひとりの感染拡大予防にたいする自覚と行為が求められてきた。

とくに季節性インフルエンザの流行期と重なることで、重大な事態になることが心配されていたが、今シーズンの発症は、期待に反して例年に比べ定点当たり報告数1.0を大きく下回っている。しかし、この冬季の新型コロナウィルスと季節性インフルエンザウィルスとの同時期の戦いは、まだまだ不明である[6]。

2021年1月中旬では、さらに新型コロナウィルスの感染数が増え続け、第3波の感染ステージ4の爆発的拡大の中で、いつ歯止めがかかるかわからない。医療危機、その崩壊が、現実味と帯びてきた。主な大都市とその周辺は、第2回目の国家緊急事態宣言も発令され、さらなる国民に自粛が要請された。

一方、新型コロナウィルスにたいするワクチンが、迅速な第3相試験で、90％以上の効果と軽い副作用のファイザー（米国）・ビオンテックス（ドイツ）とモデルナ・NIH（米国）ワクチン（双方ともmRNA型）もFDA（米国食・薬管理機関）で特別認定され、昨年（2020）の12月中頃より接種が開始された。少し遅れて、アストラゼネカ・オクスフォード大学（英国）ワクチン（ウイル

スベクター型）も市場に導入された。英国では、同様に認定されいち早く昨年の12月上旬に接種が開始された。中国、ロシヤでも、独自に彼らのワクチンが、彼らの国だけで同じように接種が行われている。その他のワクチンの市場参入も後に続くと予測される。

　そして、やっとワクチン実用化の希望が見えてきた。日本でのこれらのワクチンの接種は、今年（2021）の2月中旬から下旬ごろと言われている。

2. 私たちのウィズ・コロナ時代の生活様式の変容とその影響[1-4, 7]

　私たちの日常生活は、ウィズ・コロナ時代で、コロナウィルスとの共存をしつつも、多くの負の社会的問題を惹起している。経済面の社会への重篤な影響、不安と過剰ストレスからくるいろいろの精神的負担、うつ、不眠、食欲低下、恐怖と不安からくるパニック、閉じこもり、家庭内暴力、生活の不規則性、運動不足からくる肥満など、多くの精神的、身体的ストレスにより社会の生産性にも影響している。一部では、新型コロナウィルス感染者とその家族に対する社会的バッシングも目にする。

　この新しい時代の生活様式は、ソーシャルディスタンス、外出制限または自粛、会合の人数と時間制限など、人と人が対面してお互いに絆を感じながら、人的交わりを深めることも難しく、多くの人々が膝を接するようにして語り合う機会も消失する社会では、介護ケアの基本的原理も崩れ落ちる。社会の基本的あり方の根底がゆり動かされる可能性もある。とくに、感染のハイリスクである高齢者が、感染を恐れて閉じこもることが原因となり、隔離、不安と恐怖による精神的ストレスのなか、フレイルが進行しやすい。

3. 世界の高齢者介護関連施設における入居者の新型コロナウィルス感染症（COVID-19）による死亡数の比較

　これまでのこのパンデミック新型コロナウィルス感染症は、そのターゲットとして高齢者が圧倒的に多く罹患し、重症化と死亡がコロナ禍として主に問題視されてきた。日本も含めて、世界の高齢者介護施設（Long-Term Care Facilities）でのクラスターが多発して多くの犠牲者を経験した。2020年7月に報告されたある論文[8]によると、諸外国の高齢者施設での高齢者（75歳以上）

のCOVID-19関連死亡率は、ヨーロッパ諸国では、44％、米国では42％と非常に高い。私たちの国では、施設入居者（65歳以上）の死亡率は、平均10数％と少なく幸いである[9]。

　しかし、この国の全新型コロナウィルス感染症死者の世代別では、高齢70歳代が約27％、80歳以上が約57％と全死者の約8割以上をしめ、60代4〜7％、50代1.0％、40代0〜4％と比較すると、高齢者、特に後期高齢者の死亡は著明に高い[10]。

4．孤立した緩和・終末・臨終期の施設居住者の看取りケア

　大部分の場合は、施設内に隔離されている入居者への外からの感染防止と体調の管理、そしてその状況を家族へ頻回にオンラインで丁寧に伝えて、密なコミュニケーションが必然となる。ただ、機会は僅少と考えるが、そとから持ち込まれた予期しなかった濃厚接触感染または疑いのある入居者がいるのか常時の監視でもわからないことがある。また時に経験することは、介護に携わる職員の施設外での濃厚接触、またはその単なる接触の可能性で、それが勤務中にわかった事態の対応処置である。即時、自宅待機となるも、新型コロナウィルスPCRの検査、その職場内、家庭内感染の拡大防止策の導入が必要となる。

　状況により施設内隔離制限は異なるが、孤立化した看取りケアの入居者には、細心のこころ配り、目配り、気配りをして家族との頻回のコミュニケーションに携わることが求められる。しかし万が一、この入居者が施設で新型コロナウィルス感染症かその疑いばかりでなく、その他の急性疾患で死亡した際には、家族にとって、その隔離されている入居者の病状の進行が速く、十分に別れの時間もなく永遠の離別となり、驚きと嘆き、そして怒りの感情が一段と強くなる。突然の予期せぬ死による遺族の精神的ショックは想像以上となり、そのグリーフ（悲嘆）も計り知れない。

　施設でも、病院のように感染防止のために、臨終の場に立ち会えなかったり、死後のエンジェルケア、葬儀業者の遺体搬送の際の感染拡大の予防処置もさりながら、愛する入居者の死顔をみるのも完全に防護具を身に着けての短時間であり、触れることもできなく、チャックつきの納体袋に入れられ、もう二度と見ることができずに、葬儀関連職員により施設から搬出される。そして火葬ま

での間（通常は、死後24時間以上）、自宅または、葬儀社の葬儀場で過ごさなければならない。葬儀も相当制限された状態で行われる可能性もある。

　したがって、このケアに直接携わる施設スタッフは、家族との真摯な対応が必要となる。相手の気持ちを思いやるこころと態度、優しさ、共感の気持ちが家族に通じなければならない。難しいグリーフケアがもとめられる。そのためにも、日頃からの家族との密接な状況報告を介してのコミュニケーションによる信頼感がなければならない。直接会えなくとも、オンラインを利用して、終末期、臨終期には、本人の顔を見ながら、言葉が通じなくとも家族の方から最後の感謝と別離の言葉を語る機会を作ることである。

　私たちは、このようなコロナ禍の悲嘆にくれる遺族の死別後のグリーフケアには、一部の偏見や差別もなく周囲から暖かい精神的サポートの手を差し伸べなければならない。施設の看取りに従事したケア提供者は、この残された深い悲しみの遺族に直接お会いできなくとも、オンラインを通じて社会から孤立させないように、この死を受け止めて、また新たな生活、人生を立て直して再出発していけるように絆を断ち切らずに支援していくことが重要となる。

5. 施設でのクラスター発生と介護崩壊のクライシス、そしてその対応

　私たちの国でも、上記した経済的不況による金銭的不安で、貧富の差が拡大していくなかでの貧困化の問題、そして、医療を受ける機会の縮小化は、ただちに、この高齢者層にしわ寄せが起こった。したがって、施設高齢者も含めて、とくに脆弱高齢者への直接的、間接的影響の中で、新型コロナウィルス感染症拡大は、介護崩壊のクライシスを惹起して、多大な社会的影響を与えうることを経験した。ここに、緩和・終末期・臨終期の看取りのケアを含めての施設全体の高齢者入居者の安全と安心のケアの維持には、施設感染予防対策の最重要性があり、とくに施設感染対策委員会の活躍が問われる。

　直接接触として、汚染物の扱い、口腔ケア、皮膚の感染処置などの場合を除き、介護では素手の接触ケアが原則であるが、新型コロナウィルス感染症の可能性のある場合の対応は、迅速な換気のよい個室隔離とレッドゾーン化して、すべての介護行為にデイスポーザブルの手袋、マスクと長袖ガウン、さらにフェイス・シールドを常時着用し、推薦される消毒剤（通常70%アルコール）の頻回

の使用が求められる。そして鼻咽頭・鼻腔分泌物・唾液などの検体の新型コロナウィルス診断PCR検査を、医療機関に依頼して診断を確定する。その結果によって、陽性の場合は医療機関に入院するが、陰性で症状が軽症の場合は施設ケアとなるのが普通である。陽性の際は、施設でのクラスター追跡のため地域保健所の介入となる。

　施設での感染予防対策としては、常時マスク着用し、頻回の衛生学的手指消毒、3密の回避、換気、個々別にソーシャルディスタンスを保つことが必須の条件であり、本来の介護ケアのあり方の変容が求められることになった。

　くわえて、実際欧米諸国に起こったように、新型コロナウィルス感染症が重篤化して亡くなる症例は、リスクの高い高齢者層も含めて、急速に進行する終末・臨終期には、家族が対面することもなく、葬式もなく、火葬もせずに、ただ迅速に担当業者が準備された場所に機械的に埋葬せざるを得なかった事実は、衝撃的であった。全く人間的（humane）でなく、このような事態が起こらないように、筆者が関与している介護老人福祉施設（京都市内にあり、全ユニット制の入居住者100人の収容）では、施設感染対策委員会がリーダーシップをとって、やや早期の2020年の3月中頃から新型コロナ感染症予防対策マニュアル（初版）を作成して、制限付きロックダウン閉鎖状態にして対応を始めた。その後、このマニュアルは、数回改正され、更新してきた。

　まず全施設スタッフは、新型コロナウィルスを'もちこまない'、'かからない''うつされない'、またもし施設内で感染があっても'ひろめない'、'もちださない'ことを厳守して、全員で介護施設内クラスターや散発的感染を阻止しなければならないことを念頭に、上記の対策マニュアルや、臨時・定期（毎月）の感染対策委員会での新しい対策の内容にしたがって変更して、スタッフの実践と啓蒙に専心した。

　周囲の感染状態（全国的には、日本、やや局所的には関西地区、より局所的には京都市地区）を把握して、当初の厳重なロックダウンを段階的に少しずつ上記マニュアルと感染対策委員会の決め事にそって緩和と引き締めの調整をしてきた。この間、ある数の高齢者介護施設ではクラスター発生で、介護崩壊の寸前まで追い詰められた。

　このパンデミックのこれまでの期間中は一時、直接の施設面談が中止され、

オンラインになったが、経過とともに少しずつ解除された段階で大きな透明ビニールシートを通しての換気のよい部屋が準備された。そこでの面談の回数、人数と時間は制限されるものの、少しは、緩和状態となってきた。しかし、玄関で体調調査と体温をチェックされた家族は、玄関での透明シートを通しての面談であったが、現在は、第3波の到来で事情は逆戻りとなり、現時点（2021年2月上旬）の当施設内では、制限を強化した施設ロックダウンに踏み切られていて、この家族の面談は、一時中断され再びオンラインとなっている。

　一方例外として、終末期・臨時期入居者の看取りについては、家族は、ユニット内を通らなく施設建物の周りの外側のベランダから各々の部屋に入り、面会となった。面会者の数も数人（最大4人以下）に制限され、対面回数（原則として毎日一回）と時間（1時間以内）に減少され、面会家族もマスク、フェイスシールド、手指消毒、死に逝く入居者とも少し離れて、少なくとも1mの場所から小さい声で簡単な会話だけに制限された。そして、もと来たベランダから静かに去っている。

　そしてこのウィズ・コロナ時代は，いまだお互い離れた距離で寄り添うことができない状態が続いている。したがって、精神的・身体的ストレスは、否応なしに続いている。しかし、既述の新型コロナウィルスワクチンの実用化も米国、英国、中国、ロシヤ、その他の国々で開始され、このパンデミックの鎮火の糸口の可能性もでてきた。

6. 入居者、職員スタッフのコロナ禍による精神的・心理的、身体的ストレスの影響と対応

　このような社会は勿論、高齢者介護施設でも、入居者、施設スタッフの長期間の自粛、自粛の日常生活の制限は、身体的、精神的ストレスの重大な障害を導く。疲労感（疲れ）、不安、恐怖、怯え、自粛うつ、施設内暴力、怒り、社会的スティグマ（偏見、差別などのバッシング症候群）などが、表面化してくる。これらの多くに日常のストレスが施設入居者の苦悩をさらに増強し、そしてケア提供者にも精神的、心理的、身体的影響を与え、今も続いている。したがって、安らかな思いやりと優しい緩和・終末ケアが必須の尊厳死を保証する平穏な看取りが難しくなることも考えられる。

一方、上記にあるように施設クラスターの発生で介護崩壊の寸前まで追いやられる事態の報告もあった[11]。入居者の介護ケアの質の危機は勿論、人材不足で臨界介護ケアレベルで対応せざるを得ないこともある。まさに、このコロナ禍としての緩和・終末・臨終期ケアを含めての施設介護ケアの質の高度の低下を招く事態を危惧してきた。

既述したように、施設に'もちこまない'、'うつさない'、'うつされない'、の感染予防はともかく、いったん施設内感染に遭遇したときのその対策は、クラスターとしての重大な影響を誘発して、緩和・終末・臨終期ケアどころでなくなる。したがって、まずは'もちこまない'感染予防対策は、施設職員スタッフ、一人ひとりの自己責任としての自己防衛であることの重要性を認識して、新しい生活スタイルの行動変容新型コロナ・レジリエンス(抵抗)を賢く設計しなければならない。施設には、いつも安全と安心の確保がなければならないからである。

重要なので一部重複して述べることになるが、原則として下記の基本事項を守ることである。

①3密の厳守

②マスク着用, 咳エチケット、うがい、手指衛生消毒

③出勤時と帰宅後の体温測定（一日2回）と自己体調管理（毎日の体調チェックリストを作成している）

④家族による入居者の面会には、制限付きで許可（施設ロックダウンのレベルによる）

⑤来訪者の体調調査の記録（体温測定も含めた体調チェックリストを作成している）

⑥公共交通機関の利用はなるべく避ける。

⑦介護ケア対策は、施設感染対策マニュアルに準じて、食事の提供、排泄の介助、清拭・入浴の介助、リネン・衣類の洗濯など、さらに感染性廃棄物の処理などに介入する。

⑧高齢者介護福祉施設における新型コロナウィルス感染症による介護崩壊の防止回避のために、この危機管理マニュアルも予め作成しておく。とくに、介護・看護スタッフの新型コロナウィルス感染症または、接触による疑いがあ

り、病院入院か自宅待機により人員不足の際のシミュレーションは、重要である。

⑨職員スタッフ自身の健康体調管理として、規則正しい生活スタイルを基本とした、健康食、十分な睡眠、適当な運動、平静（冷静）の心、清潔な環境維持の実行である

7. 施設内で新型コロナウィルス感染症、またはその疑いで亡くなった遺体のエンゼルケアと施設からの搬送

施設では、このような事態は、僅少と考えるが、実際経験する可能性は否定できないので、もし遭遇しても、介護のプロフェッショナルとして、冷静に感染の拡大を阻止して業務を最後まで行って欲しい。

下記は、厚生労働省、日本医師会が医療機関に指示した新型コロナウィルス感染症による死亡患者の対応指針[12-13]を当施設でその必要事項をわかりやすく纏め、この事項に関する対応をマニュアル化している。その抜粋を記した。まず、

(1) 業務に従事するスタッフについて

・新型コロナウィルス感染症に限らず、どんな死因にかかわらず、自らが感染しないように対応できること。

・3密の禁止

・手洗い・マスクの着用、手指衛生的消毒の励行

・体調管理・体温報告の徹底化

・個人感染防御具の付け方・外し方ができること

(2) エンゼルケアの手順

・標準予防策と個人防御具を装備する。

・生前の咳嗽やくしゃみによって飛沫したウィルスに触れた手で、介護者が自分の顔や粘膜を触れないように注意をする。

・ご遺体からの血液を含む体液漏れからの体液との接触感染を阻止する。

・個人防護服～作業服、使い捨て作業帽子、使い捨て手袋と長袖厚手ゴム手袋、医療用使い捨て防護服、医療用防護マスク、防護フェイスシールド、作業靴またはゴム長靴、防水シューズカバー、防水エプロン、防水アイソ

レーションガウンなどを準備して、着用する。また動力送風濾過式空気洗浄器の使用が推奨される。

(3) 葬儀業者と事前打ち合わせをする。

・担当葬儀業者が、新型コロナウィルスに対応が可能か、どちらが（葬儀社 vs 施設）非透過性納体袋の準備をするのか、どのような流れで対応するのかの確認をする。

　一般的には、上記の納体袋は、葬儀社から提供される。

・ご遺体は、24時間以内に火葬できるとされているが、必須ではない。

(4) 対面前にご家族への説明が必要

・できる限りお別れの時間を確保する。

・体液の接触の可能性があるので、接触感染にリスクが高まる。そのため家族にも個人防御具を着用してもらう。または、家族が当入居者遺体へ触れることは、控え、顔を見るのみにする。

・感染拡大防止のために、身体を納体袋に納めることの必要性がある。

・できることは限られているが、家族がしてあげることがないか尋ねる。たとえば、手紙や写真は火葬に影響しないので、当人の胸元に入れるなど、傍にいることができなくても、家族の思いが届くようなことを提案する。

・上記の個人防御具着用の上で、家族は当人と最後の対面を行う。

　袋を閉めた後に家族が顔を見る機会は2度とないことを告げて、承諾を得る。したがって、納体袋にご遺体を納める前に、十分なお別れの時間が持てるように配慮する。その際は、ご家族にも個人防御具を装着して貰い、着脱は介護士か看護師が介助する。

・暴露リスクを考慮して、通常のエンゼルケアに比べると短時間で行う。予めこの事を家族に伝える。雑に扱われたと家族に誤解を与え、哀しみをさらに深めないように注意する。マスクや、ゴーグルなどでこちらの表情が相手に伝わりにくくなるため、話し方や声のトーンに温かみがつたわるように、接し方も意識して関わる。

(5) 施設からの搬送時の対策

・遺体は、指名葬儀業者が当故人の部屋に持参した納体袋に遺体を入れて、ファスナーで閉じ、70％濃度以上のアルコール消毒剤、または0.1％次亜

塩素酸ナトリウムでその表面を消毒する。そして、搬送用ストレッチャーに乗せて、施設玄関／別出口の前に駐車してある搬送車に運ぶことになる。

・葬儀事業者は、行政から指導された新型コロナウィルス感染予防葬儀・火葬実施マニュアルに従う。

8.　要約

　今、このウィズ・コロナの時代に求められる必要なものとしては、連帯の重要性、恐怖、情緒不安、ストレスフルなどの感情に溺れず、正しい知識に基づく理性的行動であろう。正しく、賢く恐れることである。

　個々に人々が3密を徹底的に阻止し、ソーシャルディスタンスの励行、マスクの着用（咳エチケット）、頻回の衛生的手指消毒、換気を維持することが最も求められる。クラスター防止対策と追跡システム（個々別接触追跡アプリ）などを継続して監視しなければならない。

　最後に、たとえ、この感染症で施設介護・医療ケアにより私たちの緩和・終末・臨終期ケアが侵害されたとしても、できるだけその望ましくない環境、事態のなかで、本来の最後のcomfortケアは遂行されなければならない。本書に記載した、施設で亡くなる高齢者が‘美しく、平穏に苦痛なく逝き、送り出す所作’には、なんら変わりはない。むしろ、このことを特に考慮して、厳粛に、敬意と思いやり深く送り出したいものである。最期まで私たち緩和ケアの姿勢が問われる。

【引用文献】
1.　日本感染症学会編（2020～2021）「新型コロナウイルス感染症、感染症トピックス」。（https://www.kansensho.or.jp/modules/topics/index.php?content_id=31）
2.　日本医師会編（2020～2021）「新型コロナウイルス感染症」。（https://www.med.or.jp/doctor/kansen/novel_corona/009082.html）
3.　Carenet編（2020～2021）「COVID-19関連情報まとめ」。（https://www.carenet.com/useful/coronavirus/cg002582_index.html）
4.　厚生労働省編（2020～2021）「新型コロナウイルス感染症について」。（https://www.mhlw.go.jp/stf/seisakunitsuite/bunya/0000164708_00001.html）
5.　厚生労働省（編）2020「インフルエンザに関する報道発表資料」（https://www.mhlw.go.jp>…>健康>感染症情報>インフルエンザ〈総合ページ〉）
6.　日本感染症学会HP（編）2020「今冬のインフルエンザとCOVID-12に備えての提言に際して」。

7. 厚生労働省（編）2020「新型コロナウイルス感染症対策の基本的対応方針、令和2年3月28日（令和2年5月25日変更）。新型コロナウイルス感染症対策本部決定」。（https://www.mhlw.go.jp/content/10900000/000633501.pdf）

8. Neil Gandal,et al. :Long-term care facilities as a risk factor in death from COVID-19. Research-based policy analysis and commentary from leading economists. 13.July 2020.（https://voxeu.org/article/long-term-care-facilities-risk-factor-death-covid-19）

9. 川越正平：諸外国における介護施設のコロナ禍発生状況「識者の眼」、日本医事新法 No.5031;54-55,2020.

10. 朝日新聞（2020.7.20）「国内コロナ死者1千人、8割が70代以上、致命率も高い」。（https://www.asahi.com/articles/ASN7M6RWIN7MULZU00G.html）

11. 経営協（編）2020特集「新型コロナウイルス感染症に立ち向かう社会福祉法人」August,13-27頁.

12. 厚生労働省（編）2020「遺体の火葬等の取り扱いについて」。（https://www.mhlw.go.jp/center/000600774.pdf,）

13. 日本医師会・総合政策研究機構企画～対新型コロナウィルス特別医療タスクフォース（編）2020「新型コロナウィルス感染症・ご遺体の搬送・葬儀・火葬に実施マニュアル　第5訂」。日本医師会.

【参考文献】

● 日本医師会（編）2020「新型コロナウイルス感染症外来診療ガイド　第2版」。（https://www.med.or.jp/dl-med/…/shinryoguide_ver2.pdf）

● 国立国際医療研究センター（編）2020「新型コロナウイルス感染症（COVID-19）に対する当院の対応」。（https://www.ncgm.go.jp/covid-19/covid19_ncgm.html）

● 新型コロナウィルスに関するQ&A 2020（医療機関・検査機関の方向け）.（https://www.mhlw.go.jp/stf/seisakunitsuite/bunya/kenkou_iryou/dengue_fever_qa_00…）

● 辻哲夫 2020「COVID-19の高齢社会への影響について」 日本医師会COVID-19有識者会議。（https://www.covid19-jma-medical-expert-meeting.jp/topic/2734）

終　章

施設における
看取りケアの真髄
──絆と生きがいの意義と価値

　私たちホモ・サピエンスは、人として存在するだけで尊い。真の看取りケア
は、人の命の尊さを知り、個人の人格を心から敬愛するところから始まる。全
く、然りである。

　私たちは、齢を老い、定めなき生（いのち）を終えなければならない。可能ならば、老
衰になることで一生を終えたい。施設入居者もできるだけ多くの人たちが、そ
のようになって欲しい。それは高齢になり、基本的に'死に至る特定の病気'を
持たないか、それを持ったままでも死の原因とならない状態のまま心身の機能
が、ゆっくりと低下して平静に逝くことを意味する。

　'To Cure Sometimes, To Relieve Often, To Comfort Always'は、よく包括
的ケアの本質として引用される。全てのケア提供者にとっての基本原則であ
り、緩和・終末期ケアも然りである。

　この言葉は、ヒポクラテス（古代ギリシャ コス島の医師；BC460 ～ BC370年頃）
の言葉として、またアンブロワーズ・パレ─Ambroise Pare（フランス王室公
式外科医；1510 ～ 1590年）の言葉としても知られている。その日本語訳は、"時
には、治癒もできる。またしばしば苦痛を和らげることもできる。しかし最も
大切なことは、いつもやすらかで癒すことである"（筆者訳）となる。私たち
はこのようなコンセプトをもって高齢者ケアはあるべきで、緩和期は、いうに
及ばす、終末期・臨終期ケアには、最後の'Comfort Always'に最重点をおくべ
きであろう。

　さらに、高齢者介護施設で、著者が提案するケアの基本姿勢がある。それは、
「私たちは、全ての入居者に癒し、優しさ、そして安らぎを提供し、お互いに
信頼をもって共に生きがい（生きる勇気、思いやり、感謝、そして明日への希望）
の人生を最期まで歩んでいくこと」である。これには、人間としての'尊厳'、
できるだけの'自立'と'自己表現'、そして暖かい、優しい'絆'を持って周囲の

人々との思いやりと信頼、交わりを支援して、私たちは揺るぎない信念を持って'ケア'をすることが大切である。このことは、人間の基本原理としての尊厳の維持とその個人の人格を心から尊重、敬愛し、安らかに苦痛なく心満ちて最期を迎えることができるように、家族と介護施設スタッフはともに切に願ってケアに尽くすことではなかろうか。シシリー・ソンダース（1918-2005年）の言葉に、「人がどのように死んで行ったかは、残された者の記憶に何時までも残る。それ故、患者のためにも、家族のためにも私たちは終末期の痛みや苦悩の噴出を対症的に取り除いておく必要がある」（1984年）。これはケアのプロフェッショナルとして最低限必ず求められるものであり、インパクトをもって私たち緩和ならびに終末期ケアを提供する施設従事者の心に響く。

'心安らかに死を迎える状態'は、一人ひとり異なるとしても、苦しみなく、幸せ一杯で、納得して、信頼の絆の中で逝くことであろう。眠るが如く、平穏の中、自然に息を引きとってもらいたいものである。そして、自分らしくこころ満ちて最期を迎えて欲しい。

高齢者介護施設における入居者一人ひとりに'寄り添ったケア'をしていくことを、とくに私たちケア提供者は、胆に銘じてほしい。彼らの状態にしっかりと目を向け、彼らの気持ちや思いに添った声かけを行い、タッチングや'ハグ'によって'気持ち'に触れ、関わる。各々の体験の内容に踏み込んで、共感的理解の声をかけ、安心感を引き出す声かけをおこなう。彼らの身体的・精神的変化を確認して、お互いに多職種チームとしての共通の情報を持ち、それに添ってケアしていくことが必要であることは間違いない。

既述したが、ホスピタルマインドと言う言葉がある。これはケアのあり方とその働く人々の心のあり方を示している。もう一度ここに記したい。「あなたは、あなたのままが大切なのです。あなたは人生の最期の瞬間まで大切な人ですから、私たちはあなたが心から安らかに死を迎えるだけでなく、最期まで精いっぱい生きられるように最善を尽くします（1983年）」。前記のシシリー・ソンダースが、私たちに遺していった緩和ケアならびに終末期ケアの基本となる規範である。

さらに、肌に触合うことは非常に大切な基本的感覚である。施設介護と医療ケアの原点は、触れる、ハグ、タッチ、などで、介護と医療に従事している私

たちと、施設入居者との絆をより深くたもつには、思いやりの心を体に通して伝えることも大切である。介護は、'手当'から始まる。私たちのケアの原点である。施設ケア提供者も、彼らの暖かい両手を死に逝く入居者の肌に柔らかく直接ふれて、癒し、癒されよう。

　くわえて、家族も本人の身体に手を触れ抱きしめ、それからベッドに並んで横たわる。終末・臨終期の本人にとって非常に心地よい。そうやって旅立つ魂に対して心と身体の両面からケアすることが'良い死'に方を提供できる。家族自身も癒され、死後、故人の事を楽しい思い出として残すこともできよう。現在（令和3年1月中旬）私たちの国は、第3波ともいわれる新型コロナウィルス感染パンデミック状態であり、まだその猛威に限りが見えておらず、まだその最中である。そして施設緩和・終末期ケアにも、少なからずの変容をみるが、ケアの本質においてはなんら影響をあたえているとは、考えられない。

　さて、ここに著者の高齢者介護施設における緩和・終末期ケアの真髄としての鉄則を記しておきたい。

　「全ての施設で、一生を終える入居者の一人ひとりが、苦しみなく、穏やかに、その人らしく、そして心の通い合った親しい人たち（ご家族とケアスタッフ）との'絆'の中で、こころ満ちて美しく最期を迎えるようにケアをすること」であって欲しい。良い死に方とは、自分の選んだ場所で、覚悟の上で、またたとえ覚悟がなくとも、苦痛なく皆に支えられながら平穏に看取られながら美しく逝くことであろう。そしてもう一度述べよう。最期のケアにおいても、その最後まで認知症があろうがなかろうが、施設入居者の皆さんがその人らしく生き、そして自分の人生を振り返ったとき後悔するのではなく、少しでも生きていて良かったと感じられるようなケアをしよう。そして、死は波乱万丈の長い人生を生き抜いてきた単なる終末ではなく、その死に逝く人々のそれぞれ懸命に生きた証であり、人生の実りの終結であって欲しい。すなわち、最終の美であって欲しい。

　最後に、さまざまなところで引用されてきた'フランチェスコの平和の祈り'（高崎毅、1963『フランチェスコ』キリスト教大辞典, 教文館, p928）の言葉を'ケアする者'の立場から表現した'ケアに携わる者の祈り'（チャールズCワイズといわれているが、作者不明である。著者が少し改変している）を紹介して終わりにし

たい。この祈りの詩は宗教を信じようが、信じまいが介護・医療のケアをする者にとって'ケアの本質'として心を揺さぶる。そして私たち一人ひとりの祈りでもある。

「主よ
私はあなたの介護・医療ケアの'しもべ'にしてください
病には治療を、負傷には救済を、苦しみには安堵を、悲しみには慰めを、絶望には希望を
そして死には受容と平安をもたらすことができますように
どうぞこの私が自分を正当化するよりも他の人々に慰めを与え
服従させることよりも他を理解し
名誉を求めることよりも他を愛するようにしてください
何故なら
私たちは自分を与えることによって人々を癒し、相手の話を聞くことによって慰めを与え
そして死によって永遠の命と生まれるからです」

Column　コンパッション～どれだけの愛を与えたか

「It is not how much we do, but how much love we put in the doing. It is not how much we give, but how much love we put in the giving.（どれだけしたか、どれだけ与えたかが大事なのではなく、大切なことは、ひとつひとつのことにどれだけ愛を注いだかです）」（マザーテレサのことば）

Column　高齢者介護施設の入居者の'生きる力'と'死ぬ力'

　施設高齢者の皆さんがその人らしく生き、そして自分の人生を振り返ったとき、後悔するのではなく、少しでも生きていて良かったなと感じてもらうことが大切である。すべての人は、「生きる力」とともに「人生を閉じる力」もある。すべての老いる人は、苦痛なく平穏に、やすらかに死ねるもの、死に向きあうことで人生が豊かになる。
　したがって、高齢者介護施設の終末期ケアとは、「死ぬまで生きる」ことを支

援することでもある。最期の最期まで施設入居者にも、生きる質（QOL）と死の質（QOD）ともに大切となる。

Column　知っておきたい人間愛にあふれたメッセージとは

　自分が元気になる行為から他人に送るメッセージとして「楽しむ、笑う、深呼吸して振り返る、前に進む、希望を掴む、輝いていた時を思い出す、明日の事を考える、跳ねる、違うことをする、今のままでいい、歌う、書き出す、好きなことをする、好きな場所をイメージする、打開する、すぐ立ち直る、開き直る、体を動かす、変わる、変化させる、目的を持つ、集中する、強くなる、プラス思考をする、空想する、瞑想する、幸せな時間を作る、めぐり逢い、出会い、等々」であろう。このような言葉遣いで緩和ケアならびにエンド・オブ・ライフ（終末期）で相手と自然にコミュニケーションができるケアが可能である。

　さらに、心の交流をすすめ、つながる工夫として、「笑顔、静寂、うなずき、安心、安らぎ、無言、沈黙、温かさ、手を添える、寄り添う、見守る、背中をさする、タッチする、抱きしめる、体をケアする、思いやる、大切にする、理解する、つながる、創造する、感謝する、反省する、支える、瞑想する、呼吸を整える、調和する、誠実、人の顔からメッセージを受けとる等々」は、緩和・終末期ケアのコミュニケーションに使うべき言葉と行為であろう。

Column　介護の原点と死

　介護の原点は敬老精神であるが、この介護は、本人の機能を低下させるエビデンスもあり、過保護介護とならないようにケアをする。自分のことはできる限り自分でやり続ける覚悟、すなわち自立型の老後と自然な死を受け入れる心の準備をする。これからの超高齢化社会に向け、個人も社会も自立型の老いと自然死（老衰死）へ目指すかじを取ることが求められる。この達成には、健康長寿でなければならない。

　そして、これからの人生100年プラス時代になっても、晩年の分岐点としての選択肢は、口から食事が食べられなくなった時ではなかろうか。寿命をあきらめる方向、胃ろうや経管栄養をせずに、このなるべく‘自然な死に方’として食べられなくなった、水分もとれなくなった状態においてはゆっくりと飢餓、絶食のパスをとって苦痛なく死に至ること。このプロセスは、私たちの祖先もやってきたことであり、静かに「平穏死」を迎えることができるパスであろう。

　施設入居者の最期の基本的介護

　人間の尊厳の維持とその個人の人格を心から尊重し、敬愛し、安らかに苦痛なく心満ちて施設で最期を迎えることができるように、ご家族と私たち施設スタッフは共に悔いのないように、看取りをしなければならない。

　したがって、施設での看取りの基本姿勢は、人間の尊厳の維持とその個人の人格を心から尊重、敬愛し、安らかに、苦痛なく、心満ちて最期を迎えることができるように、ご家族と私たち施設スタッフは、共に切に願う。そして、死に行く人の自己表現、また、できるだけ自立をサポートし、また、できるだけ周りの方々との絆、とくに愛しい家族との絆を支援する環境の提供が肝心である。

【全章にわたる関連参考文献】

Ⅰ（a）．手引き，ガイドライン（特に高齢者介護施設）関連

● 全国国民健康保険診療施設協議会（編）2013（平成25年）「施設での看取りに関する手引き」．（https://www.kokushinryo.or.jp…/H25終末期—手引き（施設）.pdf）

● 三菱総合研究所（編）2007「特別養護老人ホームにおける看取りガイドライン」．（https://www.mri.co.jp/project related/…/HLUkouseih18_3.pdf）

● NPO法人全国高齢者ケア協会（編）2012「尊厳ある最期を迎えるための看取りケアマニュアル」高齢者ケア出版．

● 全国老人福祉施設協議会（編）2014「看取り介護指針・説明支援ツール（平成27年介護報酬改定対応版）」．

● 日本緩和医療学会（編）2014「がん疼痛の薬物療法に関するガイドライン（2014年版）」．

● World Health Organization: WHO Definition of Palliative Care. （https://www.who.int/cancer/palliative/definition/en/）

● O'Neill B, Fallon M: ABC of Palliative Care. Principles of Palliative Care and Pain Control. Bill BMJ 315(711): 801-804, 1997.

● 世界保健機関（編）, 武田文（和訳）1996：がんの痛みからの解放；WHO方式がん疼痛治療法. 第2版. p.3-4、金原出版.

● Lynn J, Adamson DM: Living well at the end of life. Adapting health care to serious chronic illness in old age. Rand Health, Washington, 2003.

● Australian Government. National Health and Medical Research Council: Guidelines for a palliative approach in residential aged care. Commonwealth of Australia, 2006.

● Canadian Strategy on Palliative and End-of-Life Care. Final Report of the Coordinating Committee. Health Canada, 2007.

●（財）ライフ・プランニング・センター、健康教育サービスセンター（編）2010「高齢者医療における緩和ケア～脆弱高齢者に対する質の高い医療の実現に向けて」LPC国際フォーラム.

● 日本老年医学会、倫理委員会「エンドオブライフに関する小委員会」新型コロナウイルス対策チーム（編）2020「新型コロナウイルス感染症（CPVID-19）流行期に老いて高齢者が最善の医療およびケアを受けるための日本老年学会からの提言—ACP実施のタイミングを考える—」.

Ⅰ（b）．テキストブック関連

● 柏木哲夫（著）, 淀川キリスト教病院ホスピス（編）1988『ターミナルケアマニュアル（非売品）』最新医学社.

● Pereira J, Bruera E（著）, 石岡邦彦（監訳）1999『エドモントン 緩和ケアマニュアル』先端医学社.

● Old JL, Swagerty DL Jr. 2007『A Practical Guide to Palliative Care』Wolters Kluwer Lippincott Williams & Wilkins, Maryland.

● Elsayem A, Bruera E. 2008『The M.D. Anderson Supportive and Palliative Care Handbook Third Edition』UTPrinting & Media Services, The University of Texas MD ANDERSON CANCER CENTER.

● 内閣府（編）2018「高齢社会白書（全体版）（PDF版）平成30年版」(https://www8.cao.go.jp/kourei/whitepaper/w-2018/zenbun/30pdf_index.html)

● 臨床死生学テキスト編集委員会（編）2014『テキスト臨床死生学－日常生活における「生と死」の向き合い方』勁草書房.

● 柏木哲夫, 今中孝信（監修）, 林章敏, 池永昌之（編）2002『総合診療ブックス・死をみとる1週間』医学書院.

● 日本緩和医療学会（編）2014『専門家のめざす人のための緩和医療学』南江堂.

Ⅰ（c）．その他

● 日本医師会（編）2018「パンフレット：終末期医療 アドバンス・ケア・プランニング（ACP）から考える」

（https://www.med.or.jp/doctor/rinri/i_rinri/00612.html）

- 日本医師会、生命倫理懇談会：「超高齢社会と終末期医療」平成29年11月.
- Biola H, et al.：Physician communication with family caregivers of long-term care residents at the end of life. JAGSS 55: 846-856, 2007.
- 厚生労働省（編）2014『終末期医療に関する意識調査等検討会：人生の最終段階における医療に関する意識調査報告書』.（http://www.mhlw.go.jp/file/04-Houdouhappyou-10802000-Iseikyoku-Shidouka/0000042775.pdf）
- 長尾和宏（著）2012『平穏死　10の条件』ブックマン社.
- 並木昭義（監修）,川股知之（編）2009『すぐに役立つがん患者緩和ケアにおけるコメディカルの技とコツ』真興交易（株）医書出版部.
- 森田達也,白土明美（著）2015『死亡直前と見取りのエビデンス』　医学書院.
- 川上義明（著）2014『はじめてでも怖くない　自然死の看取りケア　穏やかで自然な最期を施設の介護力で支えよう』メディカ出版.
- デヴィッド・ケスラー（著）,椎野淳（訳）1998『The Rights of the Dying　死にゆく人の17の権利』集英社.
- 平塚佐斗司（編）2015（5刷）『在宅医療の技とこころ～チャレンジ！非がん疾患の緩和ケア』南山堂.
- Lynn J: Perspectives on care at the close of life. Serving patients who may die soon and their families: the role of hospice and other services. JAMA 285（7）: 925-932, 2001.
- 鳥海房枝（著）2011『介護施設におけるターミナルケア　暮らしの場で看取る意味』雲母書房㈱.
- 長尾和宏（著）2012『胃ろうという選択、しない選択～平穏死から考える胃ろうの功罪』セブン＆アイ出版.
- 鳥海房枝（著）2014（初版第7刷）『高齢者施設における看護師の役割～医療と介護を連携する統合力』雲母書房.
- 北村育子：認知症高齢者の医療ニーズと特別養護老人ホームにおける緩和ケアを含む対応をめぐって　『日本福祉大学社会福祉論集』118：19-31,2008.

Ⅱ．一般関連

- エヌゼル、マリー・ド（著）,西岡美登利（訳）1997　『死にゆく人たちと共にいて』　白水社.
- 石田雅男（著）2010『老いもまたよし』幻冬舎ルネッサンス新書012,幻冬舎.
- ガワンデ、アトゥール　（著）、原井宏明（訳）2016『死すべき定め～死にゆく人に何ができるか』　みすず書房.
- 永田勝太郎（著）2016『〈死にざま〉の医学』　NHKブックス、日本放送出版協会（刊）.
- 中村仁一（著）2012『大往生したけりゃ医療とかかわるな　自然死のすすめ』幻冬舎新書247,幻冬舎.
- 石飛幸三（著）2010『口から食べられなくなったらどうしますか　平穏死のすすめ』　講談社文庫（刊）,講談社.
- McCullough D.　2013『My Mother, Your Mother: Embracing "Slow Medicine", the Compassionate Approach to Caring for Your Aging Loved Ones』HARPER.（https://www.harpercollins.com/）
- マッカラ、デニス（著）、寺岡暉・レブリング寺岡明子（監訳）、三谷武司（訳）2013『スローメディシンのすすめ～年老いていく家族のケアに向き合うあなたへ』勁草書房.
- キューブラー・ロス、エリザベス（著）、鈴木晶訳（訳）2001『死ぬ瞬間―死とその過程について』中公文庫.
- シューハート、エリカ（著）、戸川英夫監修,山城順（訳）2011『なぜわたしが？危機を生きる』長崎ウエスレヤン大学出版.
- ウッド、ナンシー（著）,フランク・ハウエル（画）,金関寿夫（訳）1995『今日は死ぬのにもってこいの日－Many Winters』めるくまーる.

Ⅲ．著者関連

- 川西秀徳（編）2009『回心堂第二病院疼痛緩和ケアマニュアル　初版　（平成21年4月）』（東京都日野市）（非売品）.
- 川西秀徳（著）　2010～2011　「私達の'緩和ケア'シリーズ」　"New Challenges",　月刊26～31号,（東京都日野市　回心堂第二病院機関誌）（非売品）.

1）高齢者医療における緩和ケア概論 （Short Review）. New Challenges 26号：頁1-3（平成22年12月）.

2）高齢者の緩和ケアアプローチ （Short Review）. New Challenges 27号：頁1-8（平成23年1月）.

3）日本の緩和ケア医療機関での経験. New Challenges 28号：頁1-8（平成23年2月）

4）テキサス大学MDアンダーソン癌センター緩和医療科での4週間の研修と経験. New Challenges（月刊）29号：頁1-9（平成23年3月）.

5）ヒューストンホスピスと在宅緩和ケアネットワークでの研修並びに経験. New Challenges（月刊） 31号：頁1-9（平成23年5月）.

●川西秀徳、佐賀徹：回心堂第二病院で過去3年間（平成20年〜平成22年）に老衰の最終診断で死亡した症例の分析と老衰死の現状. New Challenges（月刊）32号（平成23年6月）頁24-26、2011. 回心堂第二病院機関誌（非売品）.

●川西秀徳：回復期リハ病院における緩和リハビリテーション（Short Review）. New Professionals. 4号（12月号）, 頁2〜8、2013（静岡市 静清リハビリテーション病院機関誌）（非売品）.

●川西秀徳：高齢者の終末期緩和ケアにおける栄養管理. 日本慢性期医療協会誌72：62-73,2010.

■謝　辞■

　本書の出版に当たって、まず当法人理事長・森　京子氏にこの著作の機会と
ご支援をお与え頂き、こころから深く感謝致します。また終始、当法人事務局・
吉永健一氏に、いつもこころよく当原稿のコンピュータへの入力と校正を引き
受けてくださり、くわえて　あいり出版社の石黒憲一氏にも上梓までの適切な
アドバイスと修正・校正を頂き、ここに深く感謝の念を表します。

著者紹介

川西 秀徳（かわにし・ひでのり）

 1960年京都府立医科大学卒業、66年京都大学医学部病理系大学院卒業。医学博士取得後米国ノースウィスターン大学附属メディカルセンター内科インターンシップ並びにレジデント終了後、ミシガン大学医学部消化器系臨床フェロー、ミシガン大学消化器内科助教授、ニューヨーク州立大学内科准教授そして教授、ニュージャージー州ロバート・ウッド・ジョンソン医学校内科教授を務めた後、95年帰国した。亀田総合病院内科部長、湘南鎌倉病院副院長、福岡徳洲会病院副院長、浦添総合病院院長、聖隷三方原病院副院長、回心堂第二病院院長、綿貫病院（医療療養型）院長、静清リハビリテーション病院院長を経て、2015年より社会福祉法人市原寮付属福祉・医療研究センター長、現在に至る。

米国内科専門医、米国消化器内科専門医、米国・ヨーロッパ・日本抗加齢学会各専門医、日本臨床栄養学会認定栄養指導医、日本老年学会高齢栄養療法認定医、ICD（感染管理医）制度協議会認定感染管理医、京都府地域リハビリテーション認定医。

緩和・終末期ケア医師/コンサルタント［米国Houstonにある M.D. Anderson Cancer Center 緩和ケア科短期臨床研修プログラム修了～緩和医療研修認定（2009年）；上記病院にて、緩和終末期ケア担当医/コンサルタント；京都府立医科大学疼痛緩和ケア講座 Weekly 臨床トピックス・症例検討セミナー/カンファレンス　Regular Attendant/Discussant & 年2回の Seminar Presenter；日本緩和医療学会、日本マインドフルネス学会会員］

これからの高齢者介護施設における '看取り' のケア

2021年3月20日　初版　第1刷　発行　　　　　定価はカバーに表示しています。

著　者　　川西秀徳
発行所　　(株)あいり出版
　　　　　〒600-8436　京都市下京区室町通松原下る
　　　　　元両替町259-1　ベラジオ五条烏丸305
　　　　　電話／FAX　075-344-4505　http://airpub.jp/
発行者　　石黒憲一

印刷／製本　　シナノ書籍印刷(株)

製作／キヅキブックス
©2021　ISBN978-4-86555-086-3　C0047　Printed in Japan